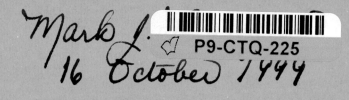

P9-CTQ-225

Ángel González (Oviedo, 1925) edita su primer libro de poemas, *Áspero mundo,* en 1956. Desde la publicación de su segundo libro, *Sin esperanza, con convencimiento* (Barcelona, 1961), está considerado uno de los poetas más representativos e importantes de la llamada generación del 50. Su obra poética, recogida en un volumen titulado *Palabra sobre palabra,* figura en numerosas antologías y ha sido ampliamente traducida a diversos idiomas.

En 1972 es invitado a enseñar literatura española en Nuevo México (EE UU), en cuya universidad será profesor hasta 1992. Como consecuencia de su tardía dedicación a la enseñanza, Ángel González ha publicado también trabajos de crítica literaria, siendo de destacar, además de los dedicados a Antonio Machado, sus estudios sobre Juan Ramón Jiménez, el grupo poético de 1927, Gabriel Celaya y Blas de Otero.

En 1961 obtiene el Premio Antonio Machado, otorgado en Francia por la editorial Ruedo Ibérico. En 1985 le conceden el Premio Príncipe de Asturias de las Letras y en 1991, en Italia, el Premio Internacional Salerno de Poesía. En enero de 1996 fue elegido miembro de la Real Academia Española, y ese mismo año obtuvo el Premio Reina Sofía de Poesía Iberoamericana.

Antonio
Machado

ALFAGUARA

© 1999, Ángel González
© De esta edición:
1999, Grupo Santillana de Ediciones, S. A.
Torrelaguna, 60. 28043 Madrid
Teléfono 91 744 90 60
Telefax 91 744 92 24
www.alfaguara.com

• Aguilar, Altea, Taurus, Alfaguara S. A.
Beazley 3860. 1437 Buenos Aires
• Aguilar, Altea, Taurus, Alfaguara S. A. de C. V.
Avda. Universidad, 767, Col. del Valle,
México, D.F. C. P. 03100
• Distribuidora y Editora Aguilar, Altea,
Taurus, Alfaguara, S. A.
Calle 80 Nº 10-23
Santafé de Bogotá, Colombia

ISBN: 84-204-2783-7
Depósito legal: M. 774-1999
Impreso en España - Printed in Spain

Diseño de interiores:
Proyecto de Enric Satué

© Diseño de cubierta:
gráfica futura

© Logotipo de colección: José Luis Fajardo

© Cubierta:
Alfonso. Archivo General de la Administración

Antonio Machado

Ángel González

Textos de escritor

ALFAGUARA

A la memoria de Emilio Alarcos,
Maestro de maestros,
inolvidable amigo.

Índice

Soledades y palabras
(Sobre Antonio Machado
y Ángel González)

I.

Todo escritor se define en su obra por un diálogo abierto, interesado y singular con la tradición. Escribir, perseguir los temas y las formas, avanzar palabra sobre palabra hacia un horizonte de novedades personales, significa la lectura del pasado, la invención de una estirpe, de un camino, de un interrogatorio clásico que llegue a sugerir una respuesta original. Los escritos de Ángel González sobre Antonio Machado valen como ejemplo de este proceso vivo de la escritura, porque ofrecen una riqueza viva y múltiple, un juego de vasos comunicantes que afecta a los dos poetas y se desborda hacia los mecanismos interiores del género. El lector de este libro tiene la oportunidad de conocer algunas reflexiones muy inteligentes sobre la personalidad literaria de Antonio Machado, en relación con los propósitos centrales de su lírica y con los debates propios de un tiempo cargado de confusa vitalidad, en el que se cruzaron distintas posibilidades extremas, ocasionando una poesía mestiza y divergente, de inevitables alianzas estéticas y de marcadas diferencias. El simbolismo fue llevado a los extremos del silencio conceptual, mientras la voluntad culturalista alcanzaba cotas de verdadero derroche formal y los primeros pasos de la vanguardia participaban a la vez del irracionalismo y de la modernidad, de la vieja lección expresiva del romanticismo y de la mirada racional y cubista de las élites orteguianas. Panorama rico y confuso, en el que los extremos se hacen cada vez más llamativos y las diferencias brotan con impulsos radicales (pureza, formalismo, exactitud, retórica, irracionalismo, racionalismo), pero a costa de consolidar un corazón único para la poesía, un centro intocable, una definición cada vez más esencialista del género. El caso de Antonio Machado es muy singular: culminó una tarea de auténtica novedad, poco ruidosa y muy profunda. Al olvidarse de los extremos llamativos, puso en duda el corazón unitario de la lírica europea. Ángel González valora esta discreta originalidad con una clarividencia poco frecuente en nuestros estudios literarios, acostumbrados a dejarse fascinar por el oleaje de la superficie.

Todo poeta, al hablar de los demás, define su obra. El lector de este libro tiene también la posibilidad de conocer mejor la poesía de Ángel González, su decidida vocación de unir la intimidad y la Historia, las aventuras del conocimiento íntimo y la reflexión moral colectiva. Poeta de una generación integradora, que intentó huir al mismo tiempo de la literatura social panfletaria y del simbolismo ensimismado, la obra de Ángel González exige una lectura completa, dialéctica, en la que encuentren su lugar preciso el humor y la seriedad, el descorazonamiento y la esperanza, el pulso deslumbrado de la tradición y el juego desacralizador, la intimidad y la Historia. Esto es lo que exige la obra de Ángel González, y precisamente esto es lo que el poeta propone en su lectura de Antonio Machado. De ahí que este libro, esta dilatada reflexión de Ángel Gonzá-

lez sobre Antonio Machado, acabe siendo una ocasión única para comprobar los mecanismos de la
tradición poética, un laberinto flexible de espejos,
luces apagadas y puertas abiertas, que va pasando de
lector a lector, de autor a autor. La originalidad profunda, reivindicada por Machado ante el festival de
las novedades pasajeras, es siempre diálogo, matiz,
duda, admiración, laberinto que fluye, en el que los
olvidos son tan importantes como los recuerdos.
Bécquer y Rosalía de Castro alcanzan preguntas que
luego contestan Rubén Darío, Antonio Machado y
Juan Ramón Jiménez, planteando a su vez nuevas
interrogaciones que conmueven la mirada lírica de
Ángel González. La poesía va forjándose de voz en
voz, de eco en eco, palabra sobre palabra, estableciendo la biografía intelectual y emotiva de los seres
humanos.

Antonio Machado, Ángel González, la tradición poética, interés múltiple de este volumen en el
que se recogen, definitivamente ordenadas, todas las
meditaciones del poeta de posguerra sobre su maestro
republicano. Señalemos, pues, el contenido:

1. El libro *Antonio Machado* (Júcar, Oviedo,
1986). Ángel González reprodujo en este volumen
sus *Aproximaciones a Antonio Machado* (Universidad
Nacional Autónoma de México, 1982), aprovechando la ocasión para añadir un capítulo biográfico, en
el que presenta «algunos aspectos de la obra de Antonio Machado a la luz de los episodios más sobresalientes de su vida». Aunque el libro reunió diversos
artículos publicados independientemente, todos ellos
fueron ideados como perspectivas y capítulos nece-
sarios para un estudio de conjunto que proyectaba

escribir desde 1973. «Antonio Machado y la tradición romántica» apareció en *Cuadernos para el diálogo,* núm. 49 (extra), Madrid, 1975, págs. 22-27. «Identidad de contrarios en la poesía de Antonio Machado» se publicó en *Cuadernos Hispanoamericanos,* núms. 304-307, Madrid, 1975-1976, págs. 544-558. «Comentarios en torno a un poema de Antonio Machado» supuso la colaboración de Ángel González en los *Estudios ofrecidos a Emilio Alarcos Llorach,* I, Universidad de Oviedo, 1977, págs. 323 y 335. Todos los textos fueron revisados en la conformación definitiva del libro. El capítulo final, «Afirmación, negación y síntesis: coherencia del proceso creativo de Antonio Machado», fue leído fragmentariamente en una serie de conferencias pronunciadas en España, México y Estados Unidos, entre 1976 y 1978. Los distintos capítulos de este libro estudian la estirpe romántica del simbolismo, la tradición de la que parte Machado y las tensiones que origina su itinerario estético, un viaje de ida y vuelta que nace en la afirmación del yo, cruza por los tonos descriptivos de la tercera persona y consigue una estación final de síntesis entre la intimidad y la objetividad.

2. El artículo «Originalidad del pensamiento de Machado» se publicó en *Peña Labra,* núm. 16, Santander, 1975, págs. 27-28. Ángel González destaca la modernidad del poeta, señalando sus coincidencias con Heidegger, Valéry, Langbaum y la lingüística contemporánea. Aparte de las reflexiones sobre Antonio Machado, el artículo se carga de sentido histórico y generacional. Es significativo que Ángel González aproveche el concepto de *habla* para señalar las implicaciones coloquiales de la «palabra

en el tiempo», la palabra que, frente a la *lengua,* vive, conversa y discute con lo efímero. También resulta lógico que se destaque la inteligencia de Antonio Machado a la hora de comprender, gracias a sus heterónimos, que la voz del poema no se identifica biográficamente con el autor, porque depende de la construcción literaria de un personaje. La elaboración rigurosa del lenguaje coloquial y la conciencia del personaje poético son dos características decisivas en la obra de Ángel González.

3. La *Nota previa* sirvió de prólogo a la antología de Antonio Machado publicada en la colección Los Poetas (Júcar, Madrid, 1976, págs. 9-16). Ángel González defiende una lectura integradora, sin despreciar ninguna de las etapas y de los matices de Machado, en la conciencia de que todos ellos alcanzan unidad y definen una evolución literaria personal. Toma postura así ante las interpretaciones parciales que han caracterizado la recepción del poeta en la posguerra, según los intereses de los diversos movimientos. Como resulta evidente en todas las aproximaciones de Ángel González a Machado, no quiere limitarse ni a la voz historicista de los poetas sociales, ni a la palabra ensimismada de los seguidores del simbolismo, sino al temple dialéctico de una intimidad que se sabe inevitablemente tiempo e Historia.

4. «*Azul* y la poesía española del siglo XX» apareció en la *Revista Hispánica Moderna,* año XLII, diciembre, Nueva York, 1989, núm. 2, págs. 127-135. El artículo llama la atención sobre la influencia de Rosalía de Castro en Rubén Darío, analizando el aspecto menos esteticista de *Azul,* su primer

libro importante. Con un golpe de sabiduría poética, nos adentramos en los juegos malabares de la tradición, magia de lecturas y fechas cruzadas. Un Antonio Machado maduro encuentra en el joven Rubén Darío el camino estético que le permitirá alejarse del esteticismo radical, precisamente el tono dominante en la madurez lírica del nicaragüense. Este artículo defiende la importancia, con frecuencia olvidada, de Rosalía de Castro en la evolución de la poesía hispánica, así como el peso de los orígenes literarios de Darío en su evolución final hacia una palabra más sosegada.

5. *Las otras soledades de Antonio Machado* fue el discurso de ingreso de Ángel González en la Real Academia Española, leído el 23 de marzo de 1997. Junto a la soledad personal, Antonio Machado vivió otras soledades poéticas e intelectuales debidas a la originalidad de su pensamiento. Las ideas representadas por Ortega y Gasset y Juan Ramón Jiménez, dominantes en los primeros años de la generación del 27 hicieron de Antonio Machado un poeta viejo, decimonónico, poco actual en el uso de la metáfora, demasiado discreto en su vida y en su vocabulario. Pero la originalidad no siempre se ajusta a las novedades más llamativas, y Ángel González puede valerse de la perspectiva histórica, de la evolución de los poetas del 27 y de los itinerarios posteriores de la poesía española, para afirmar la verdadera originalidad de Antonio Machado, las consecuencias penetrantes de su lección lírica. El estudio comparativo entre Antonio Machado y Ortega y Gasset permite concluir que Machado no era un poeta viejo, decimonónico, trasnochado, sino alguien que había roto

los caminos líricos de la tradición simbolista. Su palabra en el tiempo fue una palabra a destiempo, es verdad, pero no por culpa de la vejez paralizadora, sino por una originalidad profunda, por un cambio lírico e intelectual de intenciones. Fiel a su poesía y a la de sus compañeros de viaje, Ángel González convirtió el discurso de ingreso en la Academia en un homenaje a Machado. Pocas veces se ha logrado comprender con tanta exactitud la significación histórica y literaria del poeta sevillano.

6. Añadimos finalmente un apéndice con los tres poemas que Ángel González ha escrito, en distintos momentos de su obra, como homenaje a Antonio Machado. «Camposanto en Colliure» se publicó en el libro *Grado elemental* (1962), y contiene una reflexión, ante la sepultura del poeta, sobre la suerte civil de España. Como estudió Emilio Alarcos (*La poesía de Ángel González,* Ediciones Nobel, Oviedo, 1996, págs. 177-183), el poema utiliza todos los recursos de la ironía y la lucidez, los diálogos entre el sentimiento personal y la Historia, que caracterizan la literatura de Ángel González. La frase hecha «aquí paz y después gloria», permite jugar con las consecuencias de la paz franquista, con la pervivencia de la España de charanga y pandereta y con la debilidad de la gloria artística, un consuelo inseguro contra las hostilidades de la realidad. El segundo poema, «Lección de literatura», pertenece también a *Grado elemental,* pero sólo se recogió en la edición de Ruedo Ibérico (1962). Por problemas de censura, y tal vez porque repetía argumentos del texto anterior, Ángel González no lo recuperó para el volumen de sus poemas completos, *Palabra sobre palabra*

(1968). Es, pues, la primera vez que este poema se publica en España. Aprovechando el célebre recurso que Machado utiliza en su pudorosa elegía «A José María Palacio», describe la repetición de los ciclos naturales y la permanencia del paisaje frente a la muerte, para acabar en una apuesta esperanzada por la España que nace, por el futuro capaz de romper con el conservadurismo folklórico de una nación que bosteza. El último poema, «Recuerdo y homenaje en un aniversario», pertenece a *Deixis en fantasma* (1992) y recrea las últimas horas de Machado en Collioure, la interferencia íntima de la brisa marina y la luz de la primavera en una situación trágica. De nuevo en Collioure, sin mañana, sin ensueño, con el respaldo único de la memoria, Ángel González defiende a Antonio Machado del horror vivido, gracias a la ayuda piadosa de la luz y de la muerte, en la evocación de un verso melancólico, de unas palabras últimas: «Esos días azules y ese sol de la infancia».

Se recogen, pues, casi todos los textos dedicados por Ángel González a Antonio Machado, palabras de un poeta sobre la soledad de otro poeta. Y escribo *casi todos,* porque no se me olvida el artículo «La elegía como forma poética en Machado» (*Papeles de Son Armadans,* núm. 259, Palma de Mallorca, 1977, págs. 23-51). Pero aquel texto fue redactado y publicado en colaboración con el profesor Alfredo Rodríguez, y Ángel González ha querido respetar el trabajo de su compañero en la Universidad de Nuevo México, no incluyendo un ensayo conjunto en un libro personal. El artículo estudia la especial importancia de la elegía en la obra de Antonio Machado y analiza los poemas *A Don Francisco Giner de los Ríos,*

A la muerte de Rubén Darío, El crimen fue en Granada, Llanto de las virtudes y coplas por la muerte de Don Guido, Mairena a Martín, muerto y A José María Palacio. Los lectores de Ángel González podrán encontrar en este artículo su inteligencia lírica a la hora de interpretar las claves de un poema y algunas declaraciones especialmente significativas sobre el papel de los heterónimos y sobre la ironía como forma de pudor. Igual que Antonio Machado, Ángel González utiliza el escudo poético y pudoroso de la ironía cada vez que necesita hacer una declaración demasiado íntima.

II.

El «Retrato» de *Campos de Castilla* es uno de los poemas más conocidos de Antonio Machado. Los recuerdos de un patio de Sevilla, el torpe aliño indumentario, las gotas de sangre jacobina, el buen sentido de la palabra bueno y el equipaje ligero para recibir la invitación final de la muerte son citas inevitables cuando intentamos trazar una imagen de la figura poética y humana de Machado. Sin embargo, no siempre se ha entendido bien la profunda significación literaria que encierran algunas de estas conocidísimas afirmaciones. Al comentar el torpe aliño indumentario, posiblemente entretenidos por las anécdotas biográficas que hablan del descuido personal del poeta, pasamos por alto la toma de postura que supone este verso en la tradición romántica, una mentalidad en la que la vida del artista había pasado a formar parte de su campo estético. Frente a las galas del dandismo, frente a los excesos espectaculares de las costumbres bohemias, el poeta se nos presenta como un hijo de vecino, que acude a su trabajo para ganarse la vida y que comparte con el resto de los ciudadanos las preocupaciones políticas y filosóficas de su tiempo. Los asuntos fundamentales de la poesía de Antonio Machado no surgen de temas *especiales* para poeta, sino de las preocupaciones de un personaje civil, de un ser humano. Según nos aclaró, su reconocida adoración por la hermosura y por la estética moderna no debe confundirse con los afeites o con el gay-trinar del nuevo barroquismo. El «Retrato» parece tomar postura contra los excesos del modernismo esteticista, pero Machado no se detiene ahí y da otra vuelta de tuerca:

A *distinguir me paro las voces de los ecos,*
y escucho solamente, entre las voces, una.

La lectura parece fácil, estamos acostumbrados a aceptar que el poeta apueste por lo verdaderamente decisivo y personal, la voz, frente al coro de los imitadores, ese eco gratuito de la poesía menor. En la rutina de la interpretación se nos olvida también que el eco era un concepto positivo, casi el gran protagonista de la tradición lírica moderna, la raíz de la música interior. Los ladridos de los perros a la luna, denostados en la rima XXVI por Bécquer, son los hermanos mayores del coro de los grillos que cantan a la luna, despreciado en el «Retrato» machadiano. El autor de las *Rimas* se aleja conscientemente de las «voces que hacen correr cuatro poetas», porque identifica la poesía con los ecos depurados de la verdad interior. Así lo demuestran sus composiciones líricas y la teoría que defiende en la famosa

Introducción sinfónica. Bécquer despide sus poemas de este modo: «Id, pues, al mundo a cuyo contacto fuisteis engendrados, y quedad en él como el eco que encontraron en un alma que pasó por la tierra, sus alegrías y sus dolores, sus esperanzas y sus luchas». El cambio significativo surge cuando Machado pasa de los ecos a la voces, a la voz, para definir su poesía. En el prólogo que escribe para *Soledades* en *Páginas escogidas* de 1917, Machado afirma por ejemplo: «Y aún pensaba que el hombre puede sorprender algunas palabras de un íntimo monólogo, distinguiendo la voz viva de los ecos inertes; que puede también, mirando hacia dentro, vislumbrar las ideas cordiales, los universales del sentimiento». Del eco a la voz, un cambio quizá poco llamativo, pero clave y comprometedor, porque durante muchos años el mandato de la modernidad había obligado, y siguió obligando después por muchos años, a la elección contraria, al privilegio del eco sobre la voz. Ángel González apunta al corazón de la poesía de Antonio Machado cuando recuerda su estirpe romántica y los terremotos que intenta provocar dentro de ella.

Bécquer abre la puerta que cerrará Machado, precisamente para permitir que otros poetas posteriores, Ángel González en nuestro caso, puedan caminar de nuevo por el pasillo lírico de la tradición, buscando una puerta distinta y otros miradores en los que definirse. Gustavo Adolfo Bécquer no significa en la literatura española el fin de la época romántica, sino la toma de conciencia de todas las contradicciones literarias que la modernidad debió asumir en el vértigo de su crisis. El poeta despreciado por el utilitarismo burgués es una representación del fracaso de la sociedad, la desilusión, el deterioro de un pacto que había prometido la felicidad en nombre de la razón y acaba encontrándose con el espectáculo de su pobreza, su desigualdad y su falta de trascendencia. Gustavo Adolfo Bécquer cumple un papel muy parecido al de Baudelaire, aprende a dialogar con la fugacidad, asiste a las transformaciones de las ciudades decimonónicas y busca una poesía digna de su época, un esfuerzo de brevedad exacta, de trascendencia en el aire, de eternidad en el vértigo, que evite al mismo tiempo el utilitarismo superficial y el ridículo de las exclamaciones increíbles. La herida del yo que no encuentra un lugar transparente en la realidad se interioriza, dando lugar a una crisis íntima, a un proceso depurador, que persigue el consuelo en la edificación imaginaria de una subjetividad ideal, pura, de túnicas blancas y sentimientos esenciales. La tradición romántica desemboca en el simbolismo, en la palabra poética que debe limpiarse, pulir las voces del lenguaje fracasado de la sociedad y recoger el eco desnudo de los paraísos interiores. La poesía contemporánea justifica un proceso de resacralización que marca la subjetividad como una región de fronteras abismales.

Bécquer abre la puerta y se convierte en un hito imprescindible. Su poesía fluye como un himno silencioso, una intimidad gigantesca, que lucha con las palabras y asume la heroicidad contemporánea, el desprecio del burgués y la opacidad envenenada del lenguaje. Igual que Baudelaire, Bécquer procura ser realista en sus temas y en su vocabulario para no quedarse fuera de juego. Pero al mismo tiempo necesita la trascendencia espiritual, la sacralización de una subjetividad herida que intenta oponerse al utilitarismo. El poeta escribe en la rima LXXV:

> *Yo no sé si ese mundo de visiones*
> *vive fuera o va dentro de nosotros...*

Se trata de una duda retórica, de un interrogatorio que ya habían resuelto las nuevas reglas del juego lírico. En la rima VIII culmina un sentimiento sacralizador:

> *En el mar de la duda en que bogo*
> *ni aun sé lo que creo;*
> *sin embargo estas ansias me dicen*
> *que yo llevo algo*
> *divino aquí dentro.*

Las decisiones estéticas de Antonio Machado sólo pueden comprenderse si conocemos la estirpe lírica de la que proceden, ese mismo horizonte que desean transformar. Ángel González estudia la esencia romántica del simbolismo y sitúa a Machado en el centro de unos códigos que van más allá de la simple escuela literaria, porque trazan las fronteras de la subjetividad moderna, la bóveda de los sueños y los ecos, el territorio brumoso de los poetas escindidos que viajan por las galerías de la intimidad en busca de una verdad, de un instinto capaz de salir al mundo exterior. La poética de la que parte Antonio Machado queda resumida en estos famosos versos de *Soledades:*

> *Leyendo un claro día*
> *mis bien amados versos,*
> *he visto en el profundo*
> *espejo de mis sueños*

que una verdad divina
temblando está de miedo,
y es una flor que quiere
echar su aroma al viento.

El alma del poeta
se orienta hacia el misterio.
Sólo el poeta puede
mirar lo que está lejos
dentro del alma, en turbio
y mago sol envuelto.

La poesía que mira hacia lo lejos depende del *eco,* del cendal flotante, de la bruma, de la melodía que se oye en la distancia, de la melancolía de las fuentes. Todos los caminos triunfadores en la estética moderna soportan el origen común de esta divinización del sujeto expresivo, un eco que puede vivir en la palabra desnuda de Mallarmé o Juan Ramón, en la voluntad culturalista de Rubén Darío, en el conceptualismo imaginativo de las élites orteguianas y en las brumas del inconsciente surrealista. A destiempo, fuera de las modas, con una originalidad radical según estudia Ángel González, Machado prefiere poner en duda el sujeto expresivo, la razón última de todos los caminos líricos a partir del siglo XIX. Y esa puesta en duda no se produce por una contaminación de la política y la filosofía en *Campos de Castilla,* sino por la búsqueda estética de una voz personal, más allá de los ecos sagrados, que elabora sus demandas entre las dos ediciones de las *Soledades,* en los inicios del siglo. Machado decide entablar en el poema XXXVII un diálogo fundamental con la noche, ámbito de las verdades subjetivas, y le pide una información perturbadora:

dime, si sabes, vieja amada, dime
si son mías las lágrimas que vierto!

Las lágrimas, ese zumo tradicional del sujeto expresivo, aparecen cuestionadas por una lucidez que se atreve a plantear las preguntas desacralizadoras: señores poetas, simbolistas, románticos, rebeldes de la estética, perseguidores de la exactitud y del concepto, sacerdotes del sueño, ¿de quién es nuestra intimidad?, ¿de dónde proceden nuestras lágrimas? Las preguntas se plantean en sus términos precisos:

pero en las hondas bóvedas del alma
no sé si el llanto es una voz o un eco.

¿Podemos sacralizar la subjetividad? ¿No se tratará de un simple eco del exterior, de una mentira consoladora? Antonio Machado empieza a considerar que el sujeto se define en la Historia, en los otros y frente a los otros, porque las profundidades no son el ámbito sagrado de la originalidad, sino la huella de un diálogo, en todo caso la cicatriz de una discusión. Y desde este momento la poesía de Machado procura superar el ensimismamiento simbolista para establecer un campo de objetividad que equilibre al individuo con la Historia, a las galerías personales con la experiencia colectiva. Antonio Machado no se interesa exactamente por el folklore, sino por el autofolklore, por esa parte del saber colectivo que llega a convertirse en mirada individual. Frente al concepto, el poeta busca los sentimientos porque son un territorio intermedio entre la subjetividad y los otros, esa frontera flexible que encarna la Historia en un corazón y que trasciende los límites de un corazón en la Historia. La palabra en el tiempo, el tiempo de las palabras. Ángel González señala la afirmación, la negación y la síntesis de la poética machadiana como un proceso que va desde la afirmación del yo a la primera persona del plural, pasando necesariamente por la tercera persona de *Campos de Castilla.* Es el proceso de un poeta que ha puesto en duda la verdad esencial del sujeto expresivo. Si la palabra denotativa describe la realidad, el símbolo la trasciende, le otorga una significación social. El poeta superador del simbolismo deberá volver a la realidad, aunque recordando siempre su herencia simbólica, su trascendencia. Una mirada poética con pasado, llena de sabiduría y lucidez, hace que la palabra simbólica se transforme en connotación. Machado provoca una tercera vuelta de tuerca, compone finalmente con voluntad de síntesis. El símbolo que enriqueció la capacidad denotativa de las palabras se vuelve sobre su corazón y describe la realidad con la fuerza de una memoria simbólica, de una connotación. Ángel González resalta la dialéctica de Antonio Machado, la sabiduría de un poeta que surge del simbolismo y consigue transformarlo, convertirlo en voz, en lección íntima de la realidad.

III.

Ángel González reúne en 1968 sus cinco primeros libros de poemas en un volumen titulado *Palabra sobre palabra.* Era un buen momento para reflexionar sobre el rumbo y el sentido de su literatura, porque la obra publicada poseía ya una entidad innegable y había suficiente perspectiva histórica para analizar los debates literarios que animaron el nacimiento de su generación. También en este mismo año, 1968, José Batlló editó la *Antología de la nueva poesía española,* en la que coincidieron los poetas del 50 con algunos jóvenes novísimos. Al responder el cuestionario propuesto por Batlló, Ángel González hace dos confesiones que me parecen hermanadas entre sí. Revisando la tradición lírica inmediata, afirma: «La generación del veintisiete, en sus obras iniciales al menos, acusó la fuerte influencia juanramoniana. Por entonces, Antonio Machado había escrito ya gran parte de su obra, pero su influencia no se manifestó hasta muchos años después: una influencia que fue decisiva en las dos últimas décadas, y que se deriva tanto de su forma de abordar los problemas estrictamente poéticos como de su manera de interpretar la realidad y de integrarla en su obra». Centrado ya en su poesía, Ángel González asume una declaración de intenciones que nos recuerda los esfuerzos y los debates machadianos: «No me interesa expresar ese yo ideal en el que algunos todavía creen, encerrado en los insalvables límites de la piel de cada uno: entre otras razones, porque ese yo no existe. Cuando digo *expresarme,* me refiero a toda mi historia, que es una parte de la Historia que vivimos todos. Esa parte común, colectiva, es la que determina, incluso, mis confesiones más personales». Del mismo modo que Machado emprendió su camino sobre las huellas de Rosalía de Castro y Bécquer, Ángel González acepta la invitación machadiana y continúa la búsqueda a través de la puerta que él abrió: la duda sobre el sujeto expresivo, la construcción de una palabra lírica no sometida a los procesos sagrados del romanticismo.

Carlos Barral inició en los años cincuenta una polémica sobre la entidad del género en un famoso artículo titulado *Poesía no es comunicación*. Frente a los usos del poema como medio divulgativo de verdades anteriores a la propia escritura, ya fuesen metafísicas o políticas, el poeta barcelonés reivindicaba el conocimiento, el carácter creativo e iluminador de la palabra poética. La defensa de la poesía como medio de conocimiento fue una bandera generacional que rápidamente enarbolaron otros poetas como Gil de Biedma, Caballero Bonald, Goytisolo, Valente, Brines y Ángel González. El descrédito de la comunicación afectó a la poesía social más simple y a la subjetividad metafísica que añoraba en la intimidad verdades profundas anteriores al artificio, es decir, a la construcción de los poemas. Los designios del conocimiento implicaron un nuevo modo de compromiso, una relación dialéctica entre la Historia y el poeta, preocupado ahora en indagar las raíces sociales de su educación sentimental. El ideario político de buenas intenciones fue desplazado por un ejercicio de crítica moral, por una lucidez poética empeñada precisamente en dinamitar los consuelos esencialistas del sujeto. Las ideas de Brecht sobre la raíz histórica de la individualidad y sobre el necesario distanciamiento de la sacralización artística, recogidas en *El pequeño organon para el teatro,* son utilizadas por algunos poetas del cincuenta para quebrar la comunicación expresiva de valor simbolista. Ya con un claro sentido ideológico, Carlos Barral invoca de nuevo la categoría del *conocimiento* en el libro *Ocho poetas españoles. Generación del realismo social,* una antología elaborada por Rubén Vela. «Me declaro partidario», escribe Barral, «de una poética

realista según las indicaciones de Brecht, es decir de
una poesía en cuyos planteamientos temáticos se revelen los nexos causales de la sociedad...». Resulta
lógico que Ángel González cite dos veces a Machado en la poética que compone para esta misma antología, porque los intentos de hacer una obra individual y objetiva, los esfuerzos por escapar del
ensimismamiento, evocan inevitablemente las decisiones literarias del autor de *Soledades*. Antonio Machado significó en la poesía algo más decisivo que
un ejemplo ético, por mucha importancia que los
ejemplos de este tipo alcanzaran en los años de resistencia contra el franquismo. Cada vez más solitario
y más alejado de Rubén Darío, Antonio de Zayas y
Juan Ramón Jiménez, Machado llevó al extremo las
lecciones que había intuido en Miguel de Unamuno. «Me repugnaba la posibilidad», afirma Ángel,
«de convertir la poesía en egolatría». Ésa es la herencia de Machado: la intimidad no cae de las nu-
bes, pero la ideología sólo existe realmente cuando
se plasma en una mirada. Con su reivindicación de
la intimidad frente al sociologismo, con su respeto
de la experiencia histórica frente al individualismo
esencialista, Machado ayuda a algunos poetas del 50
a cuestionar la raíz última de esa poesía moderna,
romántica y decimonónica, que siguen cantándole a
la luna los adoradores del gay-trinar y del silencio
purista. No se trata de la influencia exterior de una
doctrina al uso, sino de la conversación más penetrante y matizada que el género poético ha sabido
establecer con la intimidad, una buena amiga que
siempre nos acompaña, convirtiendo cualquier soliloquio en una plática, al saberse definida en sus relaciones con los demás. Nada resulta más social, más

eco de sociedad, que nuestras ideas de las profundidades originales.

Esta concepción poética obliga a leer a Machado de un modo machadiano, y eso es lo que hace Ángel González cuando se plantea la interpretación del poeta en un sentido totalizador. Así lo destacó José Olivio Jiménez en su libro *La presencia de Antonio Machado en la poesía española de posguerra* (Society of Spanish and Spanish-American Studies, 1983). No interesa la intimidad como refugio de la Historia, el consuelo familiar propio de algunos poetas del 36 que vieron en los símbolos un modo de cerrar los ojos ante la realidad, esa misma realidad que ellos habían ayudado a incendiar durante la guerra civil. Tampoco interesan las lecturas superficiales del poeta social, el Don Antonio Machado ejemplo de firmeza ética, que recibe aplausos coyunturales por su actitud y no por la originalidad literaria que encierra su obra. Basta leer la biografía del poeta que escribe Ángel González para valorar el profundo respeto y la admiración que siente por su significado humano. Esta admiración resalta más si la comparamos con las opiniones sugeridas por la otra gran voz de la época. El libro que escribe sobre *Juan Ramón Jiménez* (Júcar, Madrid, 1973) está lleno de admiración, lectura inteligentísima de los poemas y respeto literario, pero abundan también las ironías, las perplejidades, el asombro amable ante algunas actitudes tan ególatras que pasan de castaño a violeta. Parece que Ángel González se plantea la misma pregunta que Machado formuló al reseñar el intimismo crepuscular de *Arias tristes*: «¿No incidiremos en la vanidad de erigir en virtud nuestra propia miseria?». La figura solitaria y civil de Machado produce, por el contrario, una complicidad ética palpable, desde su formación krausista hasta su dignísimo comportamiento en la guerra civil. Pero lo realmente significativo es que, a los ojos de algunos poetas del 50, esta complicidad resulta menos importante, menos fértil, que sus meditaciones sobre la lírica contemporánea. En Machado, como en Vallejo, Alberti, Eliot, Auden o Cernuda, el poeta Ángel González encuentra el camino de una poesía desacralizadora, capaz de superar los hechizos de la expresividad. No estamos ante una toma de postura política coyuntural, sino ante una reflexión sobre la ideología burguesa contemporánea y sobre los procedimientos literarios que habitualmente comporta. Los heterónimos machadianos ayudan a comprender que el poema no surge del desahogo sincero de un yo sensible, sino de la meditada construcción de un personaje literario. La escritura es representación, oficio, capacidad de crear las condiciones necesarias para que este personaje se desenvuelva en la escena de los versos con una seductora naturalidad. El arte es un artificio, un juguete en el sentido más serio, más ilustrado, de la palabra. No es extraño que Jaime Gil de Biedma decidiese introducir *Las personas del verbo* con este poema de *Campos de Castilla:*

Sabe esperar, aguarda que la marea fluya,
—así en la costa un barco— sin que el partir te inquiete.
Todo el que aguarda sabe que la victoria es suya;
porque la vida es larga y el arte es un juguete.
Y si la vida es corta
y no llega la mar a tu galera,
aguarda sin partir y siempre espera,
que el arte es largo y, además, no importa.

Las lecciones de Antonio Machado eran el punto de partida inevitable, la puerta de entrada a una nueva tradición. Ángel González estudia su estirpe lírica en estos ensayos, que son al mismo tiempo un ejercicio de crítica literaria y un autorretrato. Por eso es triple el valor de este libro: comprensión de Antonio Machado, comprensión de Ángel González, comprensión del género poético y de sus lecciones. El acierto no estaba en sacralizar los ecos frente a la voz, sino en aprender a utilizar el significado de la voz baja, la palabra poética de las gentes que acuden a su trabajo y viven como si no fueran dioses, con un torpe aliño indumentario.

IV.

Me queda simplemente señalar el motivo por el que Ángel González es un maestro para los jóvenes poetas españoles. La tradición fluye: Gustavo Adolfo Bécquer, Antonio Machado y Ángel González.

Fuera de la estirpe profética, los únicos maestros respetables son aquellos que no están convencidos dogmáticamente de lo que enseñan, los que discuten en vez de predicar, los que cuestionan las verdades establecidas y alimentan los criterios personales en beneficio de la duda, de la sorpresa y de la libertad. Como en la religión, en la poesía resulta muy difícil escapar de las iluminaciones proféticas. Juan de Mairena se confesó un día ante sus discípulos con una reflexión que merece estar grabada en la puerta de todas las tradiciones y de cualquier centro educativo:

«Pláceme poneros un poco en guardia contra mí mismo. De buena fe os digo cuanto me parece que puede ser más fecundo en vuestras almas, juzgando por aquello, que, a mi parecer, fue más fecundo en la mía. Pero ésta es una norma expuesta a múltiples yerros. Si la empleo es por no haber encontrado otra mejor. Yo os pido un poco de amistad y ese mínimo de respeto que hace posible la convivencia entre personas durante algunas horas. Pero no me toméis demasiado en serio. Pensad que no siempre estoy yo seguro de lo que os digo, y que, aunque pretenda educaros, no creo que mi educación esté mucho más avanzada que la vuestra. No es fácil que pueda yo enseñaros a hablar, ni a escribir, ni a pensar correctamente, porque yo soy la incorrección misma, un alma siempre en borrador, llena de tachones, de vacilaciones y de arrepentimientos. Llevo conmigo un diablo —no el demonio de Sócrates—, sino un diablejo que me tacha a veces lo que escribo, para escribir encima lo contrario de lo tachado; que a veces habla por mí y otras yo por él, cuando no hablamos los dos a la par, para decir en coro cosas distintas. ¡Un verdadero lío! Para los tiempos que vienen, no soy yo el maestro que debéis elegir, porque de mí sólo aprenderéis lo que tal vez os convenga ignorar toda vuestra vida: a desconfiar de vosotros mismos.»

Estas frases se escribieron en unos tiempos de frontera bélica, con la guerra civil y la Segunda Guerra Mundial mordiendo los talones de las palabras. La exaltación militar no ofrece desde luego unas estrategias cómodas para la duda, porque exige el paso compacto de las ideas, la comunión y el pensamiento único. Ahora hemos aprendido que la paz moderna impone también, aunque por otros medios menos sonoros, una homologación de valores, un sistema tajante que suele expulsar la desconfianza y la duda a los márgenes de la utopía ridícula. Lo que se enfrenta al pragmatismo del orden establecido se excluye inmediatamente de la realidad practicable. Para los tiempos que han llegado tampoco resulta conveniente un maestro que nos enseñe a desconfiar de nosotros mismos. Y Ángel González, como Antonio Machado, es por fortuna un maestro inconveniente, es decir, un verdadero maestro, la voz que se sitúa en la duda, en ese terreno desacralizado en el que confluyen la intimidad, la literatura y la Historia.

Los artículos de Ángel González sobre Antonio Machado son el testimonio de una palabra poética que ha aprendido a dudar del sujeto expresivo contemporáneo. No valen las esencias contra la razón, pero tampoco se puede aceptar ninguna razón que niegue por decreto la individualidad. Por eso los poemas de Ángel González se apartan al mismo tiempo de los abismos metafísicos de la intimidad y del sociologismo excluyente. Para salvar los dos extremos surge la conciencia ética, el humanismo constructivo, que elabora el mundo palabra sobre palabra. Así ha titulado el volumen de sus poemas completos: *Palabra sobre palabra*. La palabra en el tiempo es también, y sobre todo, una forma de defender el tiempo de las palabras.

Al final de los años sesenta Ángel González sufrió una crisis de fe en las palabras. Tal como se comporta el mundo, parece lógico. La realidad impone sus crueldades con una desoladora paciencia y el poeta acaba sintiéndose vencido. En *Preámbulo a un silencio,* reconoce:

> *Ángel,*
> *me dicen,*
> *y yo me levanto*
> *disciplinado y recto*
> *con las alas mordidas*
> *—quiero decir: las uñas—*
> *y sonrío y me callo porque, en último extremo,*
> *uno tiene conciencia*
> *de la inutilidad de todas las palabras.*

Se trata en el fondo de la crisis que acompaña a la poesía moderna desde el Romanticismo y que justifica la depuración simbolista. El signo lingüístico suele correr la misma suerte que el contrato social, porque los dos significan un pacto artificial de entendimiento. El gusto por el silencio, la ruptura lógica de la frase, la exaltación de la oscuridad y de la rareza esteticista son el resultado de un yo que decide abandonar la sociedad para refugiarse en sus propias esencias. Pero como Ángel González había aprendido a dudar del sujeto expresivo, se encontró afortunadamente sin refugio y, por el camino de la ironía desacralizadora, regresó a la intemperie de las palabras. Su magisterio es, pues, el de un poeta que, al margen de las novedades llamativas y superficiales, útiles solamente para adornar el viejo sujeto esencialista de la tradición lírica, busca en el artificio literario la moral de un personaje que defiende la individualidad sin renunciar a sus responsabilidades históricas. Una intimidad que no es refugio, sino opinión, conciencia ética. El espectáculo fragmentario del mundo actual, con su paisaje de futuros inabarcables, invita a la renuncia, al silencio, al desarme moral, haciéndole el juego filosófico a los dogmas que controlan con voluntad organicista el aparente caos de la realidad. La poesía de Ángel González es constructiva y se define *Palabra sobre palabra*. La puesta en duda de las verdades privadas sirve para devolverle al lenguaje su poder simbólico sobre las ilusiones públicas. La desacralización del sujeto adquiere una profundísima repercusión corrosiva, porque el personaje cívico puede romper las fronteras marcadas por el yo heroico. La serenidad de Ángel González no invita precisamente a la renuncia: «Larga y prematuramente adiestrado en el ejercicio de la paciencia y en la cuidadosa restauración de ilusiones sistemáticamente pisoteadas, me acostumbré muy pronto a quejarme en voz baja, a maldecir para mis adentros, y a hablar ambiguamente, poco y siempre de otra cosa; es decir, al uso de la ironía, de la metáfora, de la metonimia y de la reticencia. Si acabé escribiendo poesía fue, antes que por otras razones, para aprovechar las modestas habilidades adquiridas por el mero acto de vivir». Este autorretrato descubre la voz baja, como camino intermedio entre las voces y los ecos, y nos recuerda que la palabra en el tiempo significa también una defensa del tiempo humano, el tiempo de las palabras.

Por fortuna o por desgracia, posiblemente por desgracia, la historia moral de este país la han escrito siempre los poetas.

LUIS GARCÍA MONTERO

PRIMERA PARTE:

ANTONIO MACHADO

---

*Nota a la primera edición**

Este libro recoge cuatro estudios sobre la poesía de Antonio Machado, escritos en su mayor parte entre 1974 y 1975, y publicados (dos de ellos) en alguna de las revistas que dedicaron un homenaje al poeta con motivo del centenario de su nacimiento. «Identidad de contrarios en la poesía de A. M.» apareció en *Cuadernos Hispanoamericanos,* números 304-307, y «A. M. y la tradición romántica», en *Cuadernos para el diálogo,* número extraordinario XLIX. Los dos artículos se publican ahora bastante corregidos y ampliados. El comentario al poema «El viajero» está incluido en el tomo I de los *Estudios ofrecidos a Emilio Alarcos Llorach* por la Universidad de Oviedo. El cuarto trabajo —«Afirmación, negación y síntesis: coherencia del proceso creativo de A. M.»— fue leído fragmentariamente en algunas conferencias en España, Estados Unidos y México, en 1976 y 1978.

Los trabajos fueron concebidos como parte de un libro más extenso que proyecto escribir desde 1973, y que acaso ya no escriba nunca. Porque me parece que todo lo que yo podía decir con cierta pretensión de personalidad o de novedad acerca de un poeta que tantos comentarios ha motivado, está, en

* *Aproximaciones a Antonio Machado,* Universidad Nacional Autónoma de México, 1982. *(N. del A.)*

esencia, expresado en las páginas que siguen. En realidad, lo que yo intentaba era encontrar unas bases que sirviesen para explicar —o que fueran al menos aplicables a— toda la obra poética del autor sevillano; una obra breve y transparente que, sin embargo, de manera un tanto desconcertante, se descompone en una serie de polaridades, de oposiciones y de contrastes a veces rebeldes a la conciliación, que llevaron a muchos críticos a descartar parte o partes importantes de sus libros —incluso libros enteros— para quedarse con un puñado de poemas que representan —según ellos— al único Antonio Machado digno de respeto.

La intuición de que todo lo que escribió el poeta procede de la misma (valiosa) mano y configura un mundo unitario, un conjunto único que se explica no por la exclusión, sino por el contraste y oposición de todas sus partes, me incitó a una relectura completa y minuciosa de su obra, que al fin fue posible en el otoño de 1973. En aquel tiempo estaba, felizmente, sin trabajo, anclado en la ciudad de Austin, y me pude permitir el lujo de llenar gran parte de mi ocio forzoso (pero no por eso menos agradable) con la lectura de Machado, poeta a quien creía conocer. Así llegué a descubrir un Machado mucho más rico y misterioso que el que yo hasta entonces había tenido *in mente,* y confirmé mi intuición primera: en su obra equilibrada y justa, irónica y grave, apenas sobra nada; cada poema, cada parte, ilumina a las restantes y recibe de ellas inesperadas luces. La profunda coherencia que se advierte en un proceso creativo que acarrea elementos tan diversos —poesía épica, lírica, civil, simbolista, realista, pura, gnómica— se debe, en mi opinión, a dos causas:

la fidelidad de su autor al impulso romántico, y —en consecuencia— su constante comportamiento dialéctico, que enlaza y justifica sus cambios de actitud.

Las siguientes aproximaciones a la poesía de Antonio Machado responden únicamente al intento de definir, basándose en esos dos rasgos, un denominador común válido para unificar los distintos poetas que la crítica (a veces motivada y justamente) ha desgajado del poeta total.

ÁNGEL GONZÁLEZ
Nuevo México, enero de 1980

Nota a la segunda edición*

Se reproduce aquí íntegramente el texto publicado por la Universidad Nacional Autónoma de México, con un importante añadido: un capítulo dedicado a la biografía del poeta en el que he intentado presentar algunos aspectos de la obra de Antonio Machado a la luz de los episodios más sobresalientes de su vida.

Madrid, diciembre de 1985

---

* *Antonio Machado. Estudio,* Ediciones Júcar, Madrid, 1986. *(N. del A.)*

I. BIOGRAFÍA

Dos momentos críticos de la Historia de España enmarcan la biografía adulta de Antonio Machado: la guerra hispano-norteamericana de 1898, y la guerra civil de 1936-1939. La primera fecha es una referencia ya inevitable para situar al escritor dentro de una generación en la que suele estar considerado como uno de sus miembros más representativos; la segunda precipita o —lo que viene a ser lo mismo— decide el final de su vida.

En 1898, Antonio Machado —«misterioso y silencioso», según la expresiva puntualización de Rubén Darío—, absorto en sus propios senderos interiores, parece un distante e indiferente espectador de los acontecimientos históricos que le tocó vivir. En cambio, a la altura de la guerra civil Antonio Machado es mucho más que un espectador: en ese momento vive con y dentro de la Historia, la asume, se incorpora a ella, y muere coprotagonizando uno de sus más patéticos capítulos. Entre 1898 y 1939, Antonio Machado cumple una trayectoria vital, ideológica y artística que contradice la de casi todos sus compañeros de generación.

Naturalmente, la Historia, aunque es un dato de referencia obligada a la hora de considerar la vida y la obra de Antonio Machado, sólo las explica parcialmente. Como circunstancia muy relevante, antes que la Historia está la infancia, un período que, aunque borroso en su recuerdo, viene a ser como el Norte al que el poeta orienta sus ensoñaciones, consciente de que los sueños son más eficaces que la memoria para penetrar en ese ámbito impreciso y lejano, ya definitivamente perdido, en el que intuye que pueden estar las claves capaces de darle sentido a toda su existencia. El mito de la vuelta al origen está detrás de la escritura de la mayor parte de los poemas de su primer libro, que en casi su totalidad es un (a veces esperanzado y a veces desesperante) recorrido por las «galerías del alma», en busca de la «verdad divina» que él cree ver «en el profundo espejo de sus sueños».

Infancia

Antonio Machado nació en Sevilla el 26 de julio de 1875. Era el segundo hijo —su hermano Manuel había nacido once meses antes— de Ana Ruiz, cuya familia tenía una confitería en el barrio de Triana, y de Antonio Machado Álvarez, abogado, licenciado en Letras y periodista especializado en temas folklóricos, campo en el que llegó a alcanzar reconocimiento internacional.

La etapa sevillana de Antonio Machado fue breve: cuando el futuro poeta tiene ocho años, toda la familia se traslada a Madrid, siguiendo la suerte del abuelo paterno, a quien le habían ofrecido una cátedra en la Universidad Central. «Mis recuerdos de la ciudad natal son todos infantiles», puntualiza Machado en una breve nota autobiográfica escrita en 1917. De aquel tiempo de la niñez las cosas que se salvaron del olvido son pocas, pero duraderas: un patio, una fuente, un limonero, una luz muy concreta —«¡esa luz de Sevilla!»—; imágenes imborrables, que reaparecerán reiteradamente en sus poemas, evocadas con mágica nitidez.

Si la infancia de Antonio Machado, a juzgar por la insistencia con que el poeta vuelve una y otra vez sobre aquellos lejanos y luminosos días, fue feliz y decisiva, en gran parte se debe a las figuras familiares que poblaron el escenario de su niñez. Desinteresada, tolerante, progresista, culta y entrañablemente unida, la de Antonio Machado no responde al esquema tópico de la familia española de clase media.

El abuelo, Antonio Machado Núñez, había emigrado a Guatemala en su primera juventud con la intención de hacer fortuna, aunque abandonó muy pronto ese proyecto para estudiar medicina en la Sorbona, donde fue discípulo y ayudante de Orfila. En Sevilla ejerció durante algún tiempo como médico, profesión que cambió (se dice que porque no pudo salvar la vida de una joven enferma) por la cátedra de Ciencias Naturales de la Universidad de Sevilla. Llegó a desempeñar cargos políticos —fue gobernador civil de la provincia—, pero su verdadera vocación, la ciencia, acabó determinando su destino. Cuando le ofrecieron una cátedra en la Universidad Central no dudó en aceptarla. Parece que en la decisión de trasladarse a Madrid, adoptada con la aquiescencia de toda la familia, influyó, además de su estrecha vinculación con la Institución Libre de Enseñanza, el deseo de estar cerca de centros escolares en los que sus nietos pudiesen obtener mejor educación. Don Antonio Machado Núñez, insobornable liberal, ilustrado con ribetes de romántico, krausista de primera hora, divulgador en España de las teorías de Darwin, debió de haber sido un singular personaje. Su esposa, la abuela paterna de Antonio, Cipriana Álvarez Durán, también aportaría, con sus recuerdos y evocaciones familiares, una nota interesante al entorno infantil del poeta. Era sobrina nieta del erudito Agustín Durán, impulsor del romanticismo en España y recopilador del viejo romancero. El padre de doña Cipriana, José Álvarez Guerra, había sido aficionado a la filosofía, y llegó a publicar un ensayo de pintoresco título: *Unidad simbólica y Destino del hombre en la Tierra o Filosofía de la Razón, por un amigo del hombre,* que fue objeto del juicio reprobatorio de Menéndez Pelayo en su *Historia de los heterodoxos españoles*. Es muy probable que de este *amigo del hombre* haya tomado Antonio Machado más de un rasgo para caracterizar a alguno de sus famosos poetas apócrifos.

Todas las figuras familiares que acompañaron su infancia pasaron relativamente pronto a formar parte de las «sombras gentiles» que se mueven en el «retablo de sus sueños».

El padre será el primero en alejarse de su vida. Cuando Antonio Machado era todavía un adolescente había emigrado a Puerto Rico para ocupar una plaza de registrador de la propiedad, con la esperanza de aliviar una penuria económica familiar de la que él era, en gran medida, responsable: en 1884 había venido al mundo su sexto hijo; la investigación folklórica era una actividad prestigiosa, pero poco lucrativa, y los ingresos del abuelo bastarían a duras penas para mantener a su familia decididamente numerosa. En Puerto Rico contrajo una tuberculosis galopante que le obligó a regresar precipitadamente a la península. En 1893, a los pocos días de desembarcar, murió en Sevilla Antonio Machado Álvarez: la enfermedad no le permitió llegar a Madrid. No mucho después, en 1895, fallecería el abuelo.

Únicamente la madre, Ana Ruiz, vivirá largos años para acompañar a su hijo preferido, Antonio —a quien sobrevivirá tres días— en los momentos más graves de su existencia. Son varias las fotografías que nos muestran su rostro fino, inteligente y bondadoso, en el que las penalidades y los sacrificios no lograron apagar nunca el destello de alegría que ilumina y embellece sus facciones. Fue una mujer abnegada, generosa y valiente, a la que el destino sometió en sus últimos días a pruebas muy duras.

La Institución Libre de Enseñanza

Los hermanos Machado encontraron en el ambiente doméstico un clima propicio para desarrollar su vocación literaria, tempranamente manifestada. La asistencia a colegios de la Institución Libre de Enseñanza operaría en la misma dirección. Antonio Machado es, más que su hermano Manuel, un producto típico del krausismo; su gusto por la obra bien hecha, su liberalismo, su sentido ético, su amor a la naturaleza, su veta castellanista y su respeto por todas las manifestaciones de la cultura popular responden en parte a una tradición familiar, pero delatan sobre todo la inconfundible e indeleble huella que dejó en su espíritu la Institución («a sus maestros guardo vivo afecto y profunda gratitud», reconoció en la breve nota biográfica ya citada).

Los contactos de Machado con los krausistas no se limitaron a los estrictamente escolares; por mediación de su padre y de su abuelo frecuentó su trato fuera de las aulas, y con el correr de los años pudo llamarse amigo de muchos de ellos.

También la vaga religiosidad que impregna la obra de Machado debe mucho a los ideales de elevación espiritual y al panteísmo («el mundo es sólo un aspecto de la divinidad; de ningún modo una creación divina», dice Juan de Mairena) característicos del pensamiento de Krause, asumido por los institucionistas. De acuerdo con las doctrinas del filósofo alemán, «la Naturaleza y el Espíritu se unían en la Humanidad, y la vida humana es una ascensión hacia la armonía que Dios representa» (Ángel del Río, *Historia de la literatura española*). Aunque tantas veces aludido en sus versos, Dios es casi siempre eso en la poesía de Machado: la representación de la armonía, el sueño del hombre; la aspiración a la bondad, a la justicia y a la belleza absolutas, inalcanzables para nosotros en la Tierra. Significativamente, sueño y Dios aparecen relacionados en muchos de sus poemas: «Anoche cuando dormía / soñé, ¡bendita ilusión! / que era Dios lo que tenía / dentro de mi corazón». Esa «ilusión» parece convertirse en esperanza tras la muerte de su esposa Leonor; entonces Machado da la impresión de que necesita creer en un ser supremo que le garantice alguna forma de trascendencia o de misterioso renacimiento («Vive, esperanza, quién sabe / lo que se traga la tierra») y la palabra Dios pasa a ser algo más que un símbolo de sus ideales de perfección. Pero esa actitud dura poco.

En el pensamiento de los apócrifos, Dios es un pretexto para irónicas y a veces crípticas divagaciones; Martín parece negarlo casi humorísticamente al convertirlo en autor, no de lo que existe, sino de *la nada;* y Mairena renuncia a toda especulación seria en torno a su posible existencia cuando, en su poema *A Martín, muerto,* escribe:

> *Maestro, en tu lecho yaces*
> *en paz con Ella o con Él.*
> *(¿Quién sabe de últimas paces,*
> *don Abel?)*

Ella, la Nada, o Él, Dios...; ¿quién sabe lo que espera al hombre más allá de la muerte? Y, puesto que nunca lo sabremos, ¿qué importa?

En el pensamiento de Machado, Dios sigue siendo casi siempre la representación de otra cosa, no lo que efectivamente sea o pueda ser en sí (por ejemplo, para Martín, según Mairena, Dios es «un ejemplo de comunión que hace posible la fraterna comunidad humana»).

En consecuencia, tanto o más que un «buscador de Dios», como tantas veces se le ha llamado, Machado, por el conjunto de su obra, puede ser definido como un sutil negador de Dios, radicalmente escéptico (escéptico hasta —o sobre todo— en la negación). Yo no pienso que Antonio Machado sea un creyente con una fe corregida por cierta dosis de escepticismo, sino lo contrario: un incrédulo que pensaba o relativizaba su falta de fe de una manera —como en él era habitual— dialéctica; es decir, un ateo que procedía a negar su ateísmo para abrir un paréntesis de duda en su incredulidad. El siguiente fragmento de las lecciones de Juan de Mairena transparenta fielmente, con el temple irónico propio del personaje, el estilo de la incredulidad de Antonio Machado:

—Hoy traemos, señores, la lección veintiocho, que es la primera que dedicamos a la oratoria sagrada. Hoy vamos a hablar de Dios. ¿Os agrada el tema?

Muestra de asentimiento en la clase.

—Que se pongan en pie todos los que crean en Él. Toda la clase se levanta, aunque no todos con el mismo ímpetu.

—¡Bravo! Muy bien. Hasta mañana, señores.

—¿...?

—Que pueden ustedes retirarse.

—¿Qué lección tenemos para mañana?

—La lección veintinueve: «De la posible inexistencia de Dios».

En eso consistía, a mi modo de ver, el ateísmo, no excesivamente firme —o si se prefiere, la religiosidad, más débil aún— de Antonio Machado; en afirmar, frente a la fe de todos, que lo posible es que Dios no exista.

Machado se distingue de los krausistas en esa manifestación negativa de la religiosidad, y coincide con ellos cuando, de modo más positivo, usa la palabra Dios para simbolizar los valores espirituales y el ideal de perfección que añoró siempre («Y no es verdad, dolor, yo te conozco, / tú eres nostalgia de la vida buena...»), y cuya inalcanzabilidad asumió con melancolía.

No podrán entenderse ciertos aspectos de la personalidad y de la vida de Antonio Machado si no se tiene en cuenta que la Institución pretendía preparar a sus discípulos antes para ser hombres que para ser especialistas; no es que los institucionistas desdeñaran los aspectos puramente intelectuales de la educación, su —para decirlo con palabras de Giner de los Ríos— «carácter instructivo», sino que entendían la pedagogía como una tarea primordialmente dirigida al desarrollo armónico de todas las facultades y potencias del hombre y, de modo muy especial, de su sensibilidad, de sus ideales, de sus sentimientos, de su moralidad y de su carácter. En tal conjunto de intereses, la «instrucción» era sólo un componente —y no el más importante— de la educación.

Juventud

Cuando en 1895 cumple veinte años, Antonio Machado, producto típico de esa educación, comenzaba a ser un hombre, pero distaba mucho de ser un especialista en algo que le resultase medianamente útil para ganarse la vida; ni siquiera había terminado el bachillerato. En esas condiciones, y tras la reciente muerte del abuelo, la conciencia de que le era necesario encontrar un trabajo para no ser gravoso en un hogar regido y sostenido por su madre, debió haber atormentado al entonces ya joven (aunque aún inédito) poeta. Pero justo es reconocer que a finales del siglo XIX, alguien como él apenas tenía posibilidades de reacción. Lo que le habían enseñado los krausistas era más bien una rémora que una ayuda para enfrentarse a los problemas prácticos que le planteaba una época que «puso a la juventud literaria en esta alternativa dura: o la cuquería y la vida maleante, o el intelectualismo, con la miseria consecutiva» (P. Baroja: *Desde la última vuelta del camino*). Pésimamente dotado para la cuquería, a Antonio Machado sólo le quedaba la alternativa de la pobreza.

Esos años juveniles y sin atisbos de futuro, consumidos en una obligada inactividad, constituyen el capítulo bohemio de su vida. El ocio forzoso lo lleva a frecuentar cafés de artistas, tablaos flamencos, tertulias literarias. A Antonio y Manuel Machado, hermanos entonces inseparables, les interesa, además de la literatura, todo: el frontón, el cante, los toros, el teatro...

A finales de siglo, el modernismo representa una novedad que acabará dinamizando y transformando la anquilosada literatura española. Antonio traba pronto amistad con otros jóvenes que, con mejor o peor fortuna, compartían su forma de vivir y sus inquietudes: Valle-Inclán, Manuel Sawa, Villaespesa, Antonio de Zayas, adelantados y ardientes defensores del arte nuevo. Por debajo de una vida en apariencia inútil y frívola (y digo en apariencia porque la afición al teatro y al arte popular se manifestarían después en él como intereses hondos y verdaderos), la urgencia de ganar algún dinero debía corroerlo como un remordimiento. No es difícil intuir que la profunda melancolía de sus versos juveniles, el confinamiento del poeta en el refugio de su mundo interior, el tono elegíaco y la angustia íntima que se perciben en sus primeros poemas, son en él algo más que una actitud literaria, revelan una sincera desesperanza que sin duda debía mucho a una insatisfacción realmente experimentada. No hay en la poesía escrita por el joven Machado ni un solo verso exaltador de la vida despreocupada y bohemia que, si aparece alguna vez muy lejana e indirectamente aludida, es para destacar la irónica distancia que separa las apariencias de la realidad («... mientras con eco de cristal y espuma / ríen los zumos de la vid dorados [...] / nosotros exprimimos / la penumbra de un sueño en nuestro vaso»).

Antonio Machado trabaja ocasionalmente en la redacción de un *Diccionario de ideas afines,* y llega incluso a preparar (es de imaginar con cuánta desgana) unas oposiciones a un modesto puesto administrativo en el Banco de España. En 1898, la independencia de Cuba, Puerto Rico y Filipinas reduce aún más las posibilidades de los aspirantes a empleo. Probablemente, la decidida vocación literaria de Machado haría las cosas para él más difíciles. Renunciar a la vocación debía resultarle punto menos que imposible; tratar de convertirla en una actividad remunerada era una pretensión decididamente utópica, como él no debía ignorar. Desde 1893, y durante los escasos años que duró la vida del periódico, los hermanos Machado publicaron trabajos literarios en *La caricatura,* revista editada por su amigo Enrique Paradas; pero la empresa no pagaba a los colaboradores. Más tarde, Antonio intentará el camino del teatro, por el que siempre sintió una fuerte atracción, y llegará a formar parte, como meritorio, de la compañía de Fernando Díaz de Mendoza; la experiencia servirá para convencerle muy pronto de que tampoco ahí estaba su porvenir.

Cuando en 1899 su hermano Manuel, ya licenciado en Letras por la Universidad de Sevilla, consigue un trabajo de traductor en la editorial Garnier, en París, Antonio se decide a acompañarlo. Su estancia en Francia durará menos de un año. La experiencia francesa, aunque la brevedad con que la liquidó pueda insinuar lo contrario, tuvo que haber sido para él interesante.

París era todavía —recordará años después Machado— la ciudad del *affaire* Dreyfus en política, del simbolismo en poesía, del impresionismo en pintura, del escepticismo elegante en crítica. Conocí personalmente a Oscar Wilde y a Jean Moréas. La gran figura literaria, el gran consagrado, era Anatole France.

Las estancias en París (Machado volvió a residir en esa ciudad durante algunos meses del año 1902) le permitieron conocer a fondo la literatura francesa de la segunda mitad del siglo XIX, que ya había influido y seguiría influyendo decisivamente en los nuevos poetas hispanoamericanos y españoles.

Antonio Machado, poeta

En 1902, cuando Antonio Machado regresa a España tras su segunda estancia en París, muchas cosas habían cambiado en la vida y en el ambiente literario madrileño. Personalidades que ya eran famosas, o estaban en camino de serlo, como Juan Ramón Jiménez, Azorín, Ramón Pérez de Ayala o Jacinto Benavente, sacan la literatura del marco pintoresco, pero no exento de servidumbres, de la bohemia. El Modernismo se decanta en el Novecentismo, el escritor de comienzos del siglo es más intelectual, más selectivo, más europeo que el finisecular. Antonio Machado se incorpora a ese nuevo ambiente con el prestigio que le confiere la publicación de su primer libro, *Soledades,* editado a finales de ese mismo año. *Soledades* no sólo permite presagiar a un futuro gran poeta; expone ya —y de esa manera fue visto en su día— a un artista maduro, hondo y original que apunta en profundidad a la vertiente simbolista en la que el modernismo español conseguirá sus más valiosos logros.

Pese a la edición de su primer libro, la vida de Antonio Machado distaba mucho de estar resuelta; a los veintisiete años, el poeta era todavía un joven sin el futuro decidido. Pero, a pesar de esa situación de precariedad, el éxito de su poesía parece haberle dado un nuevo sentido a su vida, centrada ahora con más constancia en las tareas literarias. Las mejores y más exigentes revistas de la época —*Electra, Helios, Alma española...*— solicitan sus prosas y sus poemas. Antonio Machado tenía motivos, al fin, para sentirse seguro de su vocación y de su talento.

En cualquier caso, Antonio Machado no puede permitirse el lujo de vivir dedicado exclusivamente, como su amigo Juan Ramón Jiménez, a la escritura de poemas. En 1906, cuando ya había cumplido treinta y un años, el poeta, por consejo de Giner de los Ríos, prepara y gana unas oposiciones a un puesto de profesor de francés en institutos de segunda enseñanza. En la primavera de 1907 Machado abandona Madrid para tomar posesión de una cátedra en el Instituto General y Técnico de Soria. Así comienza una nueva y decisiva etapa. La juventud... ya lo dice el poeta en uno de sus versos: *lejos quedó, la pobre loba, muerta.*

Soria: «Campos de Castilla»

En 1907, Soria —con poco más de siete mil habitantes— era la capital de provincia más pequeña de España; una de las más pobres, también. No deja de causar extrañeza que Machado haya elegido como primera opción esa ciudad humilde y pueblerina, de clima proverbialmente inhóspito. Seguramente, no tenía muchas alternativas. No hay que olvidar que había ingresado en el escalafón de profesores de segunda enseñanza en las peores condiciones, con el título de bachiller —que había logrado obtener tardíamente al regreso de su primer viaje a París— como único mérito; eso significaba que los buenos destinos, reservados para los que disponían de una titulación superior, no estaban a su alcance. La decisión a favor de Soria pudo ser consecuencia de su deseo de evitar la residencia en Andalucía, si hemos de creer la siguiente anécdota recogida por José Luis Cano en su *Biografía ilustrada* de Machado:

> ¿Por qué escogió Antonio Machado, andaluz, una ciudad tan lejana y fría como Soria? Cuenta Ángel Lázaro que cuando los amigos le hacían esa pregunta solía contestar el nuevo catedrático: «Yo tenía un recuerdo muy bello de Andalucía, donde pasé feliz mis años de infancia. Los hermanos Quintero estrena-

ron entonces en Madrid *El genio alegre,* y alguien me dijo: "Vaya usted a verla. En esa comedia está toda Andalucía". Fui a ver *El genio alegre.* Y me dije: "Si es esto de verdad Andalucía, prefiero Soria". Y a Soria me fui».

El comentario está dirigido contra el teatro de los Quintero, no contra Andalucía. Pero responde a una actitud muy característica de Machado: el rechazo del andalucismo tópico, su complacencia en rebatir esa Andalucía falsa, inventada por andaluces de la estirpe de los Quintero, que por reiterada llega a cobrar visos de realidad. El apócrifo sevillano Abel Infanzón, uno de «los doce poetas que pudieron existir» propuestos por Antonio Machado, expresaba sin duda el sentir de su creador cuando decía: «Sevilla y su verde orilla / sin toreros ni gitanos, / Sevilla sin sevillanos, / ¡oh maravilla!».

Haya sido por azar, como efecto lateral de su deseo de evitar las provincias andaluzas, o por necesidad, el hecho es que el poeta se instala en Soria en 1907, y la residencia allí va a marcar de una manera muy intensa y peculiar su vida y su poesía.

El mismo año de su traslado a Soria aparece la segunda y definitiva versión de su primer libro con el título de *Soledades, galerías y otros poemas.* En realidad, puede decirse que se trata de una obra nueva, tanto por las adiciones como por las supresiones a las primitivas *Soledades.* Es, sin duda, uno de los libros más importantes de su autor y de la poesía española del presente siglo. A la vez que significa la culminación de la poesía simbolista de Machado, representa también su punto final, al menos en un primer momento. *Campos de Castilla,* el libro que comienza a escribir desde su llegada a Soria, y que publicará cinco años después, en 1912, está dictado por una actitud muy diferente, casi podríamos decir que opuesta, de apertura o salida, desde las oscuras galerías del alma, al mundo exterior. Antonio Machado hace a Soria responsable de esa evolución; «cinco años en tierras de Soria —escribe en 1917— orientaron mis ojos y mi corazón hacia lo esencial castellano». Pero indica que ese cambio se produciría en cualquier caso, o que tal vez ya se había producido, cuando acto seguido puntualiza: «Ya era, además, muy otra mi ideología».

En *Campos de Castilla*, Antonio Machado contempla la realidad con un doble talante; por una parte, es la suya la mirada distanciada y severa de un moralista que juzga lo que observa, que presenta en tonos muy negativos la infortunada situación de miseria y decrepitud de una sociedad arcaica, campesina, que a veces está presentada como responsable de su propia degradación («Abunda el hombre malo del campo y de la aldea / capaz de insanos vicios y crímenes bestiales...»). Ciertas estampas o retratos de la España rural —«Un criminal», «El hospicio»...— recuerdan, por su pesimismo y por sus tintas sombrías, la pintura negra de Solana. El Machado «misterioso y silencioso» que conoció años atrás Rubén Darío, el poeta evasivo y eminentemente lírico, indiferente en apariencia a todo lo que no fueran sus propios sueños, deja paso a un hombre nuevo, contundente y claro en sus juicios que ahora sus versos no recatan ni eluden; es ya el poeta noventayochista y civil, preocupado por España, por su Historia y por su futuro. El sedimento ético, patriótico y regeneracionista que la Institución Libre de Enseñanza había dejado en su espíritu, se reactiva al contacto con la triste realidad española que Soria representaba y a la que él, entre el París simbolista y el Madrid bohemio, tal vez había vivido ajeno. Pero la contemplación ceñuda y reprobatoria de Castilla es compatible con la mirada comprensiva y amorosa, salvadora, que se advierte en otros poemas del mismo libro; son paisajes llenos de luz, con frecuencia primaverales; paisajes con figuras presentadas con emocionada piedad y simpatía, más abundantes en la versión de *Campos de Castilla* que aparece en sus *Poesías completas* (1917) que en la primera edición de 1912.

Leonor

En Castilla, además de un nuevo tema y de una nueva forma de entender la escritura poética, Antonio Machado encuentra a Leonor Izquierdo, que iba a ser el gran amor de su vida. Leonor, hija de la dueña de una de las modestas pensiones sorianas en las que vivió el poeta, tenía trece años cuando Machado se instaló en la casa de sus padres, a finales de 1907. Tal vez ya entonces recibió el poeta el golpe de «la flecha que le asignó Cupido», pero la tierna edad de la elegida le obligó a aplazar la manifestación de sus sentimientos. No esperó mucho para exteriorizarlos, sin embargo, el esta vez impaciente don Antonio. Cuando la futura contrayente tenía aún catorce años, se formalizaron los esponsales. La boda se celebró un día del mes de julio de 1909; el novio tenía treinta y cuatro años de edad; la novia había cumplido quince el mes anterior.

De una unión tan desigual se podían esperar, en buena lógica, los peores resultados. La desigualdad no se advertía en la edad tan sólo, sino que era tal vez más llamativa y grave en la cultura y en el ambiente familiar de los contrayentes; la muchachita ignorante, todavía una niña en muchos aspectos, hija de un guardia civil retirado, y el ya maduro poeta simbolista, de espíritu culto y refinado, en trance de metamorfosearse en escritor noventayochista, vástago de una vieja estirpe de ilustres intelectuales liberales, no parecían hacer un buen maridaje.

Sin embargo, lo hicieron. Todos los testigos de la vida de Antonio Machado coinciden en destacar la compenetración y armonía que dominaba en las relaciones de una pareja teóricamente tan disonante. La ignorante niña llegó, más que a respetar el trabajo del poeta, a interesarse vivamente por él, y a compartir con verdadera ilusión su aventura literaria.

A finales de 1910, Antonio Machado solicita y obtiene de la Junta de Ampliación de Estudios una beca para perfeccionar en París su conocimiento de la lengua francesa. La estancia de un año en París rompería la monotonía de sus días sorianos, y vendría a ser como una segunda, no programada y más excitante luna de miel. En diciembre, el matrimonio se instala en la —entonces— capital del Mundo, en donde vivirá algunos meses intensos y felices: visitas a museos, excursiones a lugares pintorescos, veladas pasadas en compañía de Rubén Darío y Francisca Sánchez. Aunque no entraba en sus obligaciones de becario, Antonio Machado asiste al curso que Henri Bergson dictaba en el Colegio de Francia. Nada anunciaba, en la primavera de 1911, la catástrofe que estaba a punto de dar al traste con la felicidad y los proyectos de Antonio y Leonor.

Los Machado se disponían a iniciar un veraneo en Bretaña cuando, el 14 de julio —día de la Fiesta Nacional francesa— se le presenta a Leonor una hemoptisis; es el principio del fin. Como primera medida, los médicos aconsejan el regreso a Soria. La inicial mejoría que Leonor experimenta en la ciudad castellana es engañosa; en los últimos días del año, la enferma entra en un proceso de progresiva gravedad, que culminará con su muerte, acaecida en agosto de 1912. Poco antes de morir, tuvo la oportunidad de experimentar una última alegría: contemplar y tener en sus manos un ejemplar, recién salido de la imprenta, de *Campos de Castilla,* libro en el que había puesto tantas o más ilusiones que su marido.

Baeza

La muerte de su mujer fue un golpe durísimo para Antonio Machado: «Pensé pegarme un tiro», confiesa en una carta a Juan Ramón Jiménez; y en otra dirigida a Unamuno: «Yo hubiese preferido mil veces morirme a verla morir, hubiera dado mil vidas por la suya».

Su abatimiento no le permitía continuar en Soria; necesitaba olvidar, y en la vieja ciudad castellana todo reactivaba recuerdos que la irreparable ausencia de Leonor volvía dolorosos.

Antonio Machado apela a sus influyentes amigos (Giner, Cossío) para conseguir un traslado a otro Instituto, a ser posible próximo a Madrid. Lo único que obtiene, sin embargo, es un nombramiento de catedrático en el Instituto de Baeza, un pueblo —según él— «húmedo y frío, / destartalado y sombrío, / entre andaluz y manchego».

No es difícil deducir de semejante descripción que Machado nunca se sintió feliz en Baeza. Allí escribió, sin embargo, muchos de los más bellos poemas que figuran en la versión completa de *Campos de Castilla*. En su mayor parte, los poemas están dedicados a la evocación de Leonor y del paisaje soriano, inseparables en sus recuerdos con frecuencia contrastados con su situación presente, una situación que asume casi siempre con extrañeza y velado dolor: «En estos campos de la tierra mía, / y extranjero en los campos de mi tierra / —yo tuve patria donde corre el Duero / por entre grises peñas...».

El tono elegíaco, la meditación sobre la muerte, tiñen de melancolía y de misterio esos paisajes de Castilla soñados o recordados. En toda una serie sucesiva de poemas (del CXIX al CXXIV) se percibe la angustiosa necesidad de creer en una inmortalidad que le permitiría recuperar algún día la compañía de Leonor. En carta a Unamuno había reconocido: «Hoy (Leonor) vive en mí más que nunca, y algunas veces creo firmemente que la he de encontrar»; la misma idea está expresada en los primeros versos que escribió en Baeza: «Dice la esperanza: un día / la verás, si bien esperas. / (...) / Late, corazón... No todo / se lo ha tragado la tierra». En ese momento, a Machado le hubiese gustado tener creencias religiosas.

Si el poeta había reaccionado en Soria en contra del espectáculo de una comunidad campesina, pobre y atrasada, en Baeza le escandaliza la injusticia. Al fin y al cabo, lo único que en la Castilla del alto Duero podía distribuirse era la pobreza, y hay que reconocer que estaba generosamente repartida; pero los campos ubérrimos de Andalucía podían dar bienestar a muchos, y sólo muy pocos obtenían provecho de ellos. En una carta a Unamuno, fechada en 1913, reconoce «la superioridad espiritual de las tierras del alto Duero», y lo razona así:

> Esta Baeza, que llaman la Salamanca andaluza, tiene un Instituto, un Seminario, una Escuela de Artes, varios colegios de Segunda Enseñanza, y apenas sabe leer un treinta por ciento de la población. No hay más que una librería donde se venden tarjetas postales, devocionarios y periódicos clericales y pornográficos. Es la comarca más rica de Jaén, y la ciudad está poblada de mendigos y de señoritos arruinados en la ruleta.

Una palabra indignada, violenta, excepcional en la obra de Antonio Machado, irrumpe aisladamente en los textos escritos en Baeza. En Torre Perogil, ante la miseria del pueblo proyectada sobre el fondo de las grandes iglesias, Machado invoca a los «santos cañones de Von Klük» (el general alemán que en 1917 llegó a bombardear los suburbios de París) para desvelar el sentido de la casa de Dios «erguida sobre este basurero». Los años de Baeza son los de la Gran Guerra y la revolución rusa; las gotas de sangre jacobina que el poeta reconocía en sus venas debieron de hervir con lo que veía en Andalucía y lo que estaba sucediendo en Europa. En sus versos, una muchacha pregunta esperanzada: «Y los bolcheviques / (sobran rejas y tabiques) / di, madre, ¿cuándo vendrán...?». Y otro de sus poemas de la época nos presenta, en una ciudad antigua de la Hesperia triste, a un hombrecillo que fuma «y piensa, y ríe al pensar: / cayeron las altas torres; / en un basurero están / la corona de Guillermo, / la testa de Nicolás». En una prosa de *Los complementarios,* fechada en 1916, tras hacer un paralelo entre los políticos y los cocheros, se pregunta cómo deberíamos reaccionar si un hipotético cochero loco o borracho nos llevase al precipicio; y concluye: «Habrá que arrojarlo a la cuneta del camino, después de arrancarle la rienda de la mano. Revolución se llama a esta fulminante jubilación de cocheros borrachos. Palabra demasiado fuerte. No tan fuerte, sin embargo, como romperse el bautismo».

El radicalismo de Machado alcanza su cenit en la etapa de Baeza; la revolución, lo acabamos de ver, está considerada en sus versos y prosas con innegable simpatía; aunque le parece una palabra demasiado fuerte, puede ser necesaria —nos viene a decir en la prosa citada— para evitar cosas peores. Frente a la vulgaridad y la zafiedad del ambiente, Antonio Machado reacciona con una indignación visceral que es también una forma de no darse por vencido, de sentirse vivo; así lo explica el poeta en carta a Unamuno: «Cuando se vive en estos páramos espirituales no se puede escribir nada suave, porque necesita uno la indignación para no helarse también».

Su interés por la filosofía, del que ya había dado muestras con anterioridad, se intensifica en Baeza. Machado insiste en la escritura de poesía gnómica (que estaba ya representada en sus libros anteriores) y comienza a redactar las prosas recogidas en el cuaderno titulado *Los complementarios,* que entre 1912 y 1924 fue llenando por su desigual caligrafía —letra a veces vertical, y otras vencida hacia la derecha—; *Los complementarios* representan un directo antecedente de lo que habrán de ser las sentencias, consejos, apuntes y donaires de Juan de Mairena.

En 1915, Machado comienza a estudiar, matriculado «por libre», la carrera de Filosofía en la Universidad de Madrid. La asistencia a las aulas universitarias responde a una vieja ilusión juvenil, pero obedece también a una necesidad; nunca se sintió cómodo en Baeza, y sus pretensiones de obtener un mejor destino se vieron siempre frustradas por competidores con expedientes académicos más brillantes. De esa circunstancia se lamenta el poeta en carta a Unamuno, fechada en 1914:

> Yo sigo en este poblachón moruno, sin esperanzas de salir de él; es decir, resignado aunque no satisfecho. Para salir de aquí tendría que intrigar, gestionar, mendigar, cosa incompatible no sé si con mi orgullo o con mi vanidad. En los concursos (de traslado) saltan por encima de mí aun aquellos que son más jóvenes en el profesorado, y no precisamente a causa de su juventud, sino por ser doctores, licenciados, ¡qué sé yo cuántas cosas!... Yo, por lo visto, no soy nada oficialmente.

Al terminar el año de 1918, Antonio Machado ya es al fin, oficialmente, algo: el 10 de diciembre se le expide el título de licenciado en Filosofía y Letras, sección de Filosofía. Con ese aval, el año siguiente solicita el traslado al Instituto de Segovia, esta vez con éxito. En el otoño de 1919 abandona Baeza para siempre, es de suponer que sin tristeza; no fue feliz allí. Tal vez le debe a la Naturaleza la única compensación a tanto aburrimiento y tanta soledad acumulada a lo largo de los siete años transcurridos en ese —dicho con sus palabras— «poblachón moruno»: los paseos por el campo; la contemplación del paisaje desde las viejas murallas; las frecuentes caminatas hasta la vecina Úbeda; la excursión a Cazorla y las fuentes del Guadalquivir, que dio lugar, al menos, a dos admirables poemas, «Los olivos», y el cantar que comienza: «¡Oh Guadalquivir! / Te vi en Cazorla nacer; / hoy en Sanlúcar morir...». También desde la monotonía y el aburrimiento elaboró Machado excelentes versos —«Poema de un día»—, lo mismo que consiguió plasmar el prototipo del señorito o «gran señor» andaluz, que él detestaba, en admirables retratos, tan nítidos y justos en los perfiles y en el color como bien matizados en sus penetrantes tonalidades psicológicas.

En Baeza, además, Machado afinó su oído en la percepción de los ritmos y los tonos populares, hasta convertirse en un maestro en la estilización y la reelaboración del folklore. Aunque ya hay en *Campos de Castilla* poemas que recogen fielmente todo el encanto y la delicadeza de la mejor lírica popular, será *Nuevas canciones* el libro en el que Machado exhiba de manera más deslumbrante su prodigiosa capacidad para asimilar y transfigurar el arte del pueblo.

Así pues, si la estancia en Baeza fue, en un plano estrictamente personal, una experiencia poco feliz para Antonio Machado, acabó resultando afortunada para nosotros, sus lectores.

Segovia

En noviembre de 1919, tras tomar posesión de su nuevo destino, se establece en Segovia Antonio Machado; una vez más, como fondo de la vida del poeta, otra ciudad castellana, pequeña, campesina, pobre, marcada por el peso de la historia, detenida en el pasado. Tiene Segovia, sin embargo, una gran ventaja sobre sus anteriores domicilios; la proximidad a Madrid le permite a Machado desplazarse puntualmente los sábados y las vísperas de los días festivos a la capital de España. Cuando había algún motivo serio, esos días madrileños podían prolongarse, aunque fuese por procedimientos no muy legales. El tren de los lunes podía perderse, y a veces se perdía, contratiempo que el profesor de francés comunicaba al director del Instituto por medio de un telegrama que —se rumoreaba— a veces anticipaba proféticamente el futuro: «Tren perdido hoy y mañana».

Aunque Machado no era persona aficionada en exceso a la vida social, para él debía de ser importante reanudar la convivencia con su familia, recalar en las tertulias literarias que todavía tenían lugar en ciertos cafés madrileños, cambiar impresiones con amigos viejos, asistir a alguna representación teatral; no sentirse totalmente ajeno, en suma, al acontecer de la cultura.

En Segovia vive Machado en una de las para él tan conocidas pensiones para huéspedes estables; de la extremada modestia de su vivienda pueden dar idea las tres pesetas con cincuenta céntimos que le costaba diariamente la pensión completa; la economía se traducía, como es lógico, en falta de comodidades. Alguna noche de invierno, la habitación estaba tan fría que Machado abría el balcón para que entrase el aire de la calle. Parece ser que a la intemperie, el frío era más tolerable que en la alcoba. Pero esas molestias nunca le importaron demasiado al poeta, o al menos las padecía con ejemplar estoicismo. Durante el día, si el clima no le era excesivamente hostil, Machado paseaba, solo o acompañado, por los bellísimos alrededores de Segovia, o entraba en el Café Castilla para departir con alguno de sus contertulios habituales.

En Segovia frecuentó Antonio Machado una sociedad, aunque reducida, bastante más estimulante que la de Baeza: allí coincidieron con él Manuel Cardenal Iracheta, entonces joven profesor de Filosofía, el catedrático de la Escuela Normal don Blas Zambrano (padre de María Zambrano), el escultor Emiliano Barral, y otros personajes interesantes o pintorescos que se encontraban diariamente en el taller del ceramista Fernando Arranz, instalado en una iglesia románica secularizada. En ese taller, donde Barral le hizo un retrato en piedra a don Antonio, se hablaba de literatura, de arte, de política, de filosofía... Con frecuencia, un cadete de la academia de Artillería, apellidado Carranza, o el padre Villalba, compositor que puso música a un texto de Machado, interpretaban alguna partitura en un piano alquilado que figuraba entre el heterogéneo repertorio de objetos que amueblaban el recinto otrora sagrado del ceramista. La variedad de intereses y de actividades de los contertulios, aglutinados por una compartida afición al arte y un común interés por la cultura, impresionaba vivamente al escultor Barral, que afirmaba de modo un tanto hiperbólico, pero con toda seriedad: «¡Éste es un verdadero taller del Renacimiento!».

Antonio Machado llegó a Segovia a tiempo de ser cofundador, junto con el marqués de Lozoya, Blas Zambrano, A. Marqueríe y otros, de la Universidad Popular, centro cultural con sede en la antigua iglesia románica de San Quirce donde recibían instrucción gratuita los trabajadores y gentes del pueblo segoviano, y en el que, además de cursos regulares —Machado enseñaba allí lengua francesa— se ofrecían conferencias a cargo de relevantes personalidades.

Por aquel tiempo ve la luz en Segovia el primer número de la revista literaria *Manantial,* en la que Machado colabora con la ilusión que sus fundadores, jóvenes poetas, le contagian.

Durante su estancia en Segovia, Antonio Machado escribe y publica un nuevo libro de poemas, el tercero de los suyos, titulado *Nuevas canciones* (1924). El tono de canción, como el título insinúa, domina en ese conjunto, un tanto heterogéneo, de poemas. La impresión que da el libro es que en él se recogen y reelaboran textos escritos o anotados con anterioridad, en la etapa de Baeza o incluso, tal vez, en la de Soria. Abunda la poesía gnómica y no son pocos los poemas que tienen como tema la creación poética; tampoco faltan los paisajes soñados o recordados, pintados *par coeur* siguiendo una estrategia, de tan repetida, prevista ya por el poeta («Campo de Baeza / soñaré contigo / cuando no te vea»), que llega a materializarse en una breve serie de *Galerías,* o de estampas recuperadas en las zonas más remotas y evanescentes de la memoria y del ensueño. En *Nuevas canciones,* sin embargo, Machado no se repite; replantea y resuelve sus viejas obsesiones, pero lo hace desde otros puntos de vista, con actitudes distintas y a veces en formas nuevas. En el plano de la expresión, acaso la novedad más destacable sea el uso de una combinación estrófica, el soneto, que antes había desdeñado («la emoción del soneto se ha perdido —dejó escrito en las primeras páginas del cuaderno *Los complementarios*—. Queda sólo su esqueleto, demasiado sólido y pesado para la forma lírica actual»).

Como los restantes títulos de su autor, *Nuevas canciones* fue terminándose de hacer a lo largo de algunos años, a partir de la publicación de la versión primera, a través de un proceso de supresiones y adiciones, hasta adquirir su forma definitiva en la edición de 1936 de sus *Poesías completas.*

En la etapa segoviana comienza a escribir Machado las páginas de sus apócrifos Juan de Mairena y Abel Martín; son prosas irónicas que tratan, con la distancia que la *interpósita persona* establece respecto a su verdadero autor, de los temas que entonces preocupan u obsesionan al propio Machado; los personajes, creados en algunos aspectos a su imagen y semejanza, son pensadores y poetas, lo cual le permite atribuirles sistemas personales de pensamiento, y poéticas y poemarios también originales. Antonio Machado parece así más alejado que nunca de su escritura.

Las apariencias, en este caso como en tantos otros, engañan; los versos —y las prosas— de Mairena y de Martín exponen las preocupaciones (e incluso ciertas experiencias) del hombre Antonio Machado con tanta o mayor fidelidad que los poemas de *Campos de Castilla.*

Otros tres episodios, al menos, merecen ser destacados en la biografía de Antonio Machado durante su período segoviano: su dedicación, siempre en colaboración con su hermano Manuel, a la literatura escénica; la designación para ocupar uno de los sillones vacantes de la Real Academia Española, y su participación en los actos de la proclamación de la Segunda República.

Es sabida la vieja debilidad de Antonio Machado por el teatro. En 1924 y 1925, la representación de las adaptaciones que los hermanos Machado hicieron de dos obras del repertorio clásico (*El condenado por desconfiado* y *Hernani*) alcanzó tal éxito, que María Guerrero les encargó una obra original. Como resultado de la petición de la famosa actriz, en febrero de 1926 se estrenó su primera comedia original, titulada *Desdichas de la fortuna o Julianillo Valcárcel;* la obra (en verso) tuvo una excelente crítica, y ello animó a los dos hermanos a seguir escribiendo para los escenarios; los estrenos, con diverso éxito, se producen a partir de entonces casi anualmente: *Juan de Mañara, Las Adelfas, La Lola se va a los puertos* —su mayor triunfo—, *La prima Fernanda, La duquesa de Benamejí...* Todavía en 1941 se representa, con más pena que gloria, *El hombre que murió en la guerra,* la última de sus comedias, cuya puesta en escena no había sido posible a causa de la guerra civil.

El teatro, aunque les dio en su día popularidad a Antonio y Manuel Machado, no añade demasiada gloria a la que justamente ganaron con sus poemas.

La elección en 1927 de Antonio Machado para ocupar uno de los sillones de la Real Academia de la Lengua no deja de causar sorpresa, pues Machado no había solicitado el ingreso, como es costumbre con fuerza de ley entre los miembros de la docta institución. Eran los tiempos de la dictadura del general Primo de Rivera, y es posible que los académicos quisieran nombrar a una personalidad prestigiosa, independiente y de insobornable trayectoria liberal, frente a otros posibles candidatos (Gabriel Miró, Eduardo Marquina) más del gusto del dictador. Pero también es posible que el nombramiento de Machado haya sido parte de una maniobra del general Primo de Rivera para eliminar al aspirante que menos le satisfacía, don Niceto Alcalá Zamora, a quien el poeta derrotó, en efecto, en la última votación. En cualquier caso, Antonio Machado recibió la noticia de la elección sin demasiado entusiasmo: «Es un honor al cual no aspiré nunca —le escribe a Unamuno—; casi me atreveré a decir que aspiré a no tenerlo nunca. Pero Dios da pañuelo a quien no tiene narices...». Antonio Machado se quedó en académico electo; nunca escribió su discurso de ingreso, que en 1936 era todavía un borrador; se trata, en cualquier caso, de un texto imprescindible para entender la evolución y la poética que en los últimos años de su vida sustentaba Antonio Machado.

El 14 de abril de 1931 se produce el acontecimiento histórico que va a conmover a España, y que, aunque indirectamente, acabará poniendo punto final a la etapa segoviana de Antonio Machado: el destronamiento del rey Alfonso XIII y la proclamación de la República. El poeta estaba ese día en Segovia, y fue uno de los encargados de izar la bandera tricolor en el balcón del Ayuntamiento. Machado,

heredero de una vieja tradición liberal sistemáticamente frustrada ya desde los tiempos de Larra, debió de haber sentido una gran emoción en aquel
momento, evocado por él durante los años otra vez
sombríos de la guerra civil como un instante auro-
ral, lleno de luz y de esperanza:

> ¡Aquellas horas, Dios mío, tejidas todas
> ellas con el más puro lino de la esperanza,
> cuando unos pocos viejos republicanos iza-
> mos la bandera tricolor en el Ayuntamiento
> de Segovia! (...) Con las primeras hojas de
> los chopos y las últimas flores de los almen-
> dros, la primavera traía a nuestra república
> de la mano. La Naturaleza y la historia pare-
> cían fundirse en una clara leyenda anticipa-
> da o en un romance infantil:

> *La primavera ha venido*
> *Del brazo de un capitán.*
> *Cantad, niñas, en coro:*
> *¡Viva Fermín Galán!*

Guiomar

Como parte de la obra atribuida a Martín-
Mairena, publicó Machado una serie de poemas eró-
tico-amorosos dedicados a Guiomar, recogidos en las
ediciones tercera y cuarta de sus *Poesías completas*. Su
situación dentro de la serie apócrifa, y el mismo nombre de Guiomar, tan literario (remite de inmediato
al romancero, a la vez que sugiere la fusión de dos

nociones —*río* y *mar*— especialmente significativas en la obra de Antonio Machado), hicieron pensar que se trataba de otro personaje inventado, a propósito del cual se urdía un sentimiento amoroso igualmente imaginario.

En 1950, y con el título *De Antonio Machado a su grande y secreto amor,* Concha Espina publica un epistolario amoroso del poeta que demuestra la existencia real de Guiomar, y pone a los críticos y biógrafos sobre la pista de un intrigante episodio que se mantuvo oculto durante más de veinte años, pese a estar claramente insinuado en los poemas. Acaso la imagen que Machado daba de sí mismo —«viejo y tristón» se llama en uno de los poemas del ciclo de Baeza— contribuyese a hacer increíble la historia, pese a que el poeta había indicado al lector en términos inequívocos dentro del mismo poema que todo era posible: «Dentro del pecho llevo un león».

La destinataria de las cartas autorizó en su día su publicación, quién sabe si movida por un explicable sentimiento de vanidad; ella, que había sido una poetisa muy menor, es posible que no se resignase a perder, de cara al futuro, la parte de gloria que le correspondía como «musa» de un gran poeta.

Hoy se conocen ya, si no todos, muchos detalles de la pasión otoñal de don Antonio por Pilar de Valderrama —la Guiomar de sus versos—, señora perteneciente a la alta burguesía madrileña, autora de algunos libros de poemas, casada y madre de tres hijos cuando inició su relación con Machado. Su circunstancia social y familiar explica la extremada discreción que presidió las relaciones entre ¿los dos enamorados? No creo que la expresión sea adecuada. Parece cierto que Machado estaba o —lo que viene a ser igual— creía estar enamorado de Pilar de Valderrama. Que ella lo estuviese de él es muy improbable, aunque fue la señora la que dio los primeros pasos que la llevaron a su clandestina intimidad con el poeta. ¿Qué pudo haber motivado su acercamiento a Machado? Es de suponer que, en primer lugar, la admiración por su obra. También es posible que ciertas desavenencias conyugales, insinuadas por algunos investigadores del caso, la hubieran animado a buscar fuera del hogar el cariño, la comprensión y la atención que tal vez necesitaba.

Lo cierto es que en junio de 1928, Pilar de Valderrama viaja sola a Segovia y se instala en el mejor hotel de la pequeña ciudad castellana; al parecer, está deprimida y busca descanso y soledad. Buscaba también, sin duda, a Machado, pues previamente había pedido una carta de presentación a la hermana de un íntimo amigo del poeta, el actor Ricardo Calvo. El primer encuentro se produce en el hotel donde se hospeda la dama: ella lo invita a cenar. Luego hay un paseo, a la luz de la luna, hasta el Alcázar, que se repetirá las noches siguientes. No necesitaba más el león que Machado albergaba en su pecho para salir de su letargo; un león que, como acreditan sus versos, no era precisamente de papel.

Poco después de esos encuentros, Pilar de Valderrama ya será Guiomar; en 1929, *Revista de Occidente* publica las primeras canciones a ella dedicadas. ¿Qué lector familiarizado con la obra de Machado no recuerda esos versos memorables?:

En un jardín te he soñado
alto, Guiomar, sobre el río...

Guiomar mantuvo las relaciones con Antonio Machado en el terreno que ella eligió y con las condiciones que ella impuso: amor platónico por parte de él, al que ella correspondía con amistad pura y simple. Incluso para relaciones tan inocentes, exigía clandestinidad; hay que reconocer que las precauciones estaban justificadas, pues el código moral imperante en la Villa y Corte no se parecía en nada al de las cortes y villas provenzales de la Edad Media, donde un amor como el de don Antonio era el necesario complemento del prestigio social de una dama.

Cuando doña Pilar, ya viuda y anciana, se decidió a hablar del asunto, dejó bien claro que a eso —amor platónico y amistad— se había reducido todo; ni su posición social ni sus creencias religiosas le hubiesen permitido otro comportamiento. Don Antonio, que no tenía posición social ni profesaba, que se sepa, creencia o doctrina religiosa alguna, debió de haberlo pasado mal con la clandestinidad y peor aún con la castidad forzosa.

Las relaciones —entrevistas en cafés alejados de las calles céntricas, paseos por algún solitario parque madrileño, muchas cartas— duraron hasta 1935, año en el que Guiomar decide poner fin a los encuentros con el pretexto de la agitación política, que hacía azarosos sus desplazamientos al lugar de las citas.

¿Fue la historia de Antonio Machado y de Guiomar tal como la cuenta Pilar de Valderrama? Don Antonio murió sin haber hablado del asunto; sólo disponemos del testimonio de ella, testimonio que los versos y las cartas del poeta parecen refrendar. Sin embargo, hay algunos detalles que invitan a la duda. ¿Por qué quemó la destinataria de la correspondencia casi doscientas cartas? ¿Pretendía ocultar algo con esa destrucción o fue un impulso irreflexivo? Si fue un arrebato, ¿por qué conservó unas sesenta? Por otra parte, algún poema de Machado permite suponer que no todo fue tan extremadamente casto como ella lo cuenta:

> *¡Y en la tersa arena*
> *cerca de la mar,*
> *tu carne rosa y morena*
> *súbitamente, Guiomar!*

¿Fantasía del poeta? Machado inventa mucho cuando escribe, pero sus invenciones son pocas veces mentira; ya lo había advertido en uno de sus poemas («Se miente más de la cuenta / por falta de fantasía: / también la verdad se inventa»). Por lo pronto, es cierto que la pareja se reunió, al menos una vez, cerca de la mar. En una entrevista publicada en 1979 (J. M. Moreiro: «La musa-diosa del poeta habla por primera vez», *Blanco y Negro,* número 3.486), Guiomar evoca ese episodio, pero su manera de contarlo resulta sospechosa: «Fui a Hendaya y Machado fue a verme. Estuvo dos días, y algunas tardes paseábamos junto al mar...». Si Machado estuvo sólo dos días en Hendaya y paseó junto al mar *algunas tardes,* sería más correcto hablar de todas las tardes. ¿O estuvo en Hendaya más de dos días?

Guiomar hace mutis definitivo de la vida de Antonio Machado en junio de 1936. En la citada entrevista publicada en *Blanco y Negro,* Pilar de Valderrama dice:

> En casa habíamos decidido trasladarnos
> a Lisboa. Antes de partir con lo imprescin-

dible, pues nadie sabía lo que podía ocurrir, abrí el cajón donde guardaba las cartas de Machado y, delante de la chimenea, arrojé al fuego la mayor parte. Apenas si separé treinta y tantas...

En el párrafo transcrito llaman la atención dos detalles; en primer lugar, la espléndida información que, un mes antes de producirse, se tenía en casa de Pilar de Valderrama acerca de la catástrofe que se avecinaba en España. Y en segundo lugar, el hecho de que las cartas de Machado no fuesen destruidas indiscriminadamente; «separé treinta y tantas», parece implicar una selección. Si fue así, ¿por qué y con qué criterio se hizo? Eso es lo que doña Pilar no aclaró nunca.

Pero dejemos a Guiomar en ese momento en que ella deja para siempre a Machado; al fin y al cabo, si ha entrado en estas páginas ha sido exclusivamente en función de sus relaciones con el poeta que todavía, en plena guerra civil, desde la ribera del Mediterráneo, tendrá para ella un recuerdo y unos últimos versos:

De mar a mar, entre los dos la guerra
más honda que la mar. En mi parterre
miro la mar que el horizonte cierra.
Tú, asomada, Guiomar, a un Finisterre
miras hacia otro mar...

Machado ignoraba que Guiomar no miraba a mar alguno, sino a la provincia de Palencia, donde tenía propiedades que se apresuró a «recuperar» —ésa es la palabra que se emplea en la entrevista citada—

en cuanto las tropas del general Franco completaron la ocupación de la región leonesa.

Madrid

La República hizo por fin justicia a Machado, atendiendo a una de sus más viejas aspiraciones; en octubre de 1931 es nombrado catedrático de francés en el Instituto madrileño Calderón de la Barca. Acababa así la servidumbre de los viajes semanales en tren, el penoso periplo por casas de huéspedes baratas, la soledad, el abandono... A partir de 1932 Machado reside en Madrid, en compañía de su madre, de su hermano José y de la mujer y las hijas de éste.

En cualquier caso, salvo el fin de tantas molestias e incomodidades, no hay muchos cambios en la vida de don Antonio. En el terreno íntimo, prosigue la relación con Guiomar que, como ya se dijo, no termina hasta 1935. Se suceden también los estrenos de las comedias en colaboración con su hermano Manuel. En cambio, Machado va a escribir durante sus años madrileños menos poesía; aumenta con algunas composiciones nuevas el cancionero apócrifo atribuido a Mairena y a Martín, y eso es todo, en verso.

Como compensación, comienza una más frecuente colaboración en la prensa madrileña *(El Diario de Madrid, El Sol)*, que dejará configurados definitivamente la personalidad y el pensamiento de sus imaginarios personajes, Abel Martín y —especialmente— Juan de Mairena, que es quien directamente se expresa en los textos de Antonio Machado.

Estos personajes debieron haber sido gestados años atrás. En *Los complementarios,* anota Machado: «Los poetas han hecho muchos poemas y publicado muchos libros de poesías, pero no han intentado hacer ningún libro de poetas». Algunas páginas más adelante, y bajo el epígrafe «De un cancionero apócrifo», enumera los poetas (catorce) que pudieran integrar ese hipotético libro, entre los que figuran otros «seis filósofos que podrían existir». Ninguno de ellos lleva el nombre de Abel Martín o de Juan de Mairena. Aquél aparece por primera vez en 1926 *(Revista de Occidente)* y Mairena en la edición de 1928 de sus *Poesías completas.*

Martín y Mairena son, pues, el resultado de una serie de tanteos que culminan en 1934, cuando comienzan a aparecer de modo continuado en El *Diario de Madrid* las páginas atribuidas a Juan de Mairena (quien frecuentemente se remite a las ideas y enseñanzas de su maestro Abel Martín). En ese año, ya ambos personajes, su psicología y su pensamiento, habían madurado suficientemente en la conciencia de su creador. Machado llega a publicar, primero en el diario citado y más tarde en *El Sol,* un total de cincuenta artículos, que en 1936 aparecían recogidos en un libro titulado *Juan de Mairena. Sentencias, donaires, apuntes y recuerdos de un profesor apócrifo.*

La temática de esos artículos es muy variada; cuestiones religiosas, políticas, estéticas, filosóficas... Nada le resulta ajeno a la pluma de Machado, que opina él mismo por boca de sus criaturas, permitiéndose desplantes, parodias, juicios heterodoxos, e incluso *boutades* y bromas que, en páginas menos distantes de su verdadera personalidad, acaso no se hubiese tolerado.

Por su sustancia, esos trabajos presentan a Machado como un pensador original y hondo, que anticipa muchas ideas que luego harían fortuna, expuestas por otros autores. Pero tal vez más importantes aún que los argumentos o las ideas subyacentes en las prosas atribuidas a Mairena, sea su manera peculiar de pensar y de decir, *la forma,* tanto del contenido como de la expresión. En una nota fechada en Segovia, y publicada en *La Voz de Soria,* había escrito Machado: «Rehabilitemos la palabra en su valor integral. Con la palabra se hace música, pintura y mil cosas más; pero sobre todo, se habla. He aquí una verdad de Pero Grullo que comenzábamos a olvidar». El simbolismo y el modernismo habían llevado la lengua escrita a zonas muy alejadas de la lengua hablada, y eso se advertía no sólo en la poesía, sino también —recuérdese a Ortega— en la prosa ensayística. Lo que Machado pretende es una corrección de los excesos a los que había llegado la lengua artística. El intento de hacer una literatura que *hable,* o basada en la lengua hablada, está plenamente logrado en los textos de Juan de Mairena; los coloquialismos, los refranes y las expresiones acuñadas por el uso cotidiano del idioma —lo que Machado llama, a propósito de Cervantes y don Quijote, «lengua hecha»— se corresponden con frecuentes apoyaturas en tópicos, refranes y otras manifestaciones de la sabiduría popular para modular un pensamiento que con frecuencia se atiene a las normas del sentido común. El resultado es una prosa directa, espontánea y llena de gracia y de malicia, lo mismo que las ideas de las que es vehículo; una prosa que no tiene igual —yo diría que tampoco rival— en la literatura ensayística de la España de su tiempo.

Al Juan de Mairena publicado en libro no le dieron tiempo para llegar a su público; la guerra civil, que tantas cosas trastornó en España, impidió en su día la difusión del volumen que recogía las sentencias del famoso profesor apócrifo.

La guerra

La guerra civil sorprendió a Machado en su habitual domicilio madrileño. Su actitud frente al hecho bélico es inequívoca; todas sus simpatías están, como siempre, del lado del pueblo, que es el lado de la España republicana. Él no era un hombre de partido, pero sí de convicciones firmes y muy definidas, que va a sostener y defender hasta su muerte, ya próxima. Su estado físico se había venido deteriorando durante los últimos meses, y los avatares y penalidades de su azarosa existencia a partir del 18 de julio de 1936, contribuirán a agravarlo.

A los pocos meses de comenzar la guerra, la vida en Madrid, además de incómoda, empezaba a ser peligrosa; el ejército de Franco representaba una amenaza cada vez más próxima; la aviación enemiga metía la muerte y el terror en el centro mismo de la capital.

En esas condiciones, la Alianza de Intelectuales consideró conveniente la evacuación hacia zonas más seguras de algunos escritores y artistas que por su edad y por la significación e importancia de su trabajo merecían un trato de excepción. Entre ellos estaba Antonio Machado. Rafael Alberti, comisionado para comunicar esa decisión al poeta, evoca así en un artículo publicado en Buenos Aires

(«Imagen primera y sucesiva de Antonio Machado», *Sur,* número 108, 1943), la visita a su domicilio, en compañía de León Felipe, un día de noviembre de 1936:

> Machado nos escuchó concentrado y triste. No creía él, nos dijo al fin, que había llegado el momento de abandonar la capital. ¿Escasez, crudeza del invierno que se avecinaba? Tan malos los había sufrido toda su vida en Soria y otras ciudades y pueblos de Castilla. Se resistía a marchar. Hubo de hacerle una segunda visita... Después de insistirle, aceptó. Pero insinuando, casi rozado de pudor, con aquella dignidad y gravedad tan suyas, salir también con sus hermanos Joaquín y José...

Así comienza para el poeta el errático y patético período que lo llevaría al destierro en los últimos días de enero de 1939.

Tal vez el testimonio más próximo y fiable de aquellos años sea el de su hermano José, que lo acompañó hasta el último momento y que reúne sus recuerdos en el libro titulado *Últimas soledades del poeta Antonio Machado.* Por él conocemos los detalles del trabajoso trayecto de Madrid a Valencia, ciudad en la que, durante unos días, el poeta y su familia encontraron albergue provisional en la Casa de la Cultura. De allí pasarían a ocupar un chalet —Villa Amparo— en el pueblo de Rocafort, no lejos del mar.

En ese ambiente apacible, en el que reencuentra muchos de los componentes míticos de su infancia —palmeras, naranjos, limoneros, el rumor del agua que corre por una acequia vecina—, Antonio Machado trabaja. Vuelve a hacer acto de presencia su apócrifo más famoso, a quien atribuye en la revista *Hora de España* una serie de comentarios y análisis de la actualidad bélica y política extraordinariamente penetrantes. Escribe también artículos —«Desde el mirador de la guerra»— para *La Vanguardia* de Barcelona; y poemas, y discursos... Una colección de esos trabajos apareció en el libro titulado *La guerra,* ilustrado por su hermano José. En todas sus páginas Machado defiende incondicionalmente, pero con independencia de criterio, con sinceridad y sobre todo con lucidez y sólidos argumentos, la causa de la España leal: es su manera de participar en la lucha.

Machado, cuya salud se deteriora visiblemente, apenas sale de Villa Amparo; se siente, como confiesa en una carta dirigida al hispanista ruso David Vigodsky, «viejo y enfermo (...), porque paso de los sesenta, que son muchos años para un español; enfermo, porque las vísceras más importantes de mi organismo se han puesto de acuerdo para no cumplir exactamente su función». Pese a la prematura vejez y la mala salud, se traslada a Valencia para participar en actos políticos cuando se lo piden, porque —son palabras suyas, tomadas de un escrito de agradecimiento por el nombramiento de presidente del Patronato de la Casa de la Cultura

Vivimos en tiempos de guerra, y la guerra ha dado al traste con todas las sinecuras. Los títulos puramente honoríficos, los cargos para desempeñarlos sin el menor esfuerzo o con voluntad perezosa eran un lujo de la paz. Hoy nos obligan, por muy altos que sean, al trabajo, a la disciplina, a la responsabilidad. Quien acepta un honor acepta un trabajo, se compromete a realizar un esfuerzo, tal vez a afrontar un peligro.

Con ese espíritu, Antonio Machado se desplaza a Valencia para pronunciar, en una plaza pública, ante una audiencia multitudinaria, su discurso a las Juventudes Socialistas Unificadas; y pocos meses después asiste a la inauguración del *Congreso de intelectuales para la defensa de la cultura,* donde lee unas cuartillas tituladas «El poeta y el pueblo».

En 1938, Machado tiene que salir, con cierta precipitación, de Valencia. La guerra vuelve a empujarlo, esta vez hacia el norte, hacia Barcelona, acercándolo a su destino final. El ejército de Franco amenaza con dividir en dos la zona levantina y cortar las comunicaciones con Cataluña. Siempre en compañía de su madre y de su inseparable hermano José, don Antonio emprende el viaje por carretera a mediados del mes de abril. En Barcelona se instalan todos, provisionalmente, en el Hotel Majestic. El poeta se siente incómodo, agobiado por el ambiente impersonal y frío de los hoteles. La única compensación de su estancia allí se la proporcionan las conversaciones con otros huéspedes con los que tenía muchas cosas en común, como el poeta León Felipe y el escritor americano Waldo Frank.

Por fortuna, la estancia en el Majestic no dura más de un mes. Unos amigos encuentran para él una casa abandonada, la Torre Castañer, perteneciente a la duquesa de Moragas. Machado vivirá en la torre rodeado de un lujo que nunca antes había conocido: grandes salones, muebles de época, un piano antiguo, cuadros importantes, un suntuoso parque en el que —puntualiza su hermano José— «el campo volvía por sus antiguos fueros borrando poco a poco el intruso jardín». En ese esplendor, que tan tardíamente llegaba a su vida, la existencia del poeta transcurría más pobremente que nunca, a falta de las cosas más elementales: carbón para encender la calefacción, alimentos, tabaco (artículo que para él era imprescindible). El Socorro Rojo trataba de cubrir sus necesidades básicas, pero siempre eran mayores las carencias que los suministros. Pese a que su salud era ya muy mala —andaba con dificultad, el corazón se había agravado—, seguía trabajando. Además de sus colaboraciones para la prensa, José recuerda que

Escribía también para casi todas las revistas que de continuo creaban los jóvenes combatientes del frente (...). Atiende al sinfín de encargos que le llueven de todos lados; de periódicos murales, en uno de los cuales escribió de su puño y letra, al pie de un retrato-dibujo hecho por mí del general Miaja, un magnífico soneto, hoy desgraciadamente extraviado por ahí. También colaboró literariamente en los suplementos del «Servicio Español de Información», que formaban parte de las publicaciones del Ministerio de Propaganda. A todos atendía. Se le veía inclinado sobre sus cuartillas trabajando incesantemente, no obstante estar muy seriamente enfermo del corazón.

Los domingos solían acudir a la torre Tomás Navarro Tomás y el musicólogo Martínez Torner. El viejo piano de la casa se abría entonces, y el aristocrático salón se llenaba con los aires populares que interpretaba el gran recopilador del folklore español.

Machado era pesimista respecto al resultado final de la guerra, pero no permitía que su desesperanza se transparentase en sus escritos; no creía —señala su hermano José— «en la inutilidad de los esfuerzos hechos por tan heroicas milicias, y esperaba que serían fecundísimos en un porvenir más o menos lejano (aunque) el presente lo veía completamente perdido».

Días finales

La esperada derrota se materializó para él un día de finales de enero de 1939, cuando recibió la visita del decano de Letras de la Universidad de Barcelona, quien le comunicó la necesidad de emprender el que habría de ser su último viaje, junto con un grupo de profesores e intelectuales, en dirección a Francia.

José Machado cuenta con detalle las vicisitudes del traslado de la familia —la madre, de ochenta y cuatro años, el poeta, el propio narrador y su mujer—. Fue una semana de incontables penalidades y sufrimientos para encontrar, al fin, un albergue seguro en un modesto hotel del pueblo marinero de Collioure, en el sur de la Cataluña francesa. Allí se instalaron todos el 28 de enero de 1939; el día 22 habían abandonado Torre Castañer en un coche de la Dirección de Sanidad. Le acompañaron en el éxodo, además de decenas de miles de anónimos hombres y mujeres, Tomás Navarro Tomás, el doctor Puche, Carlos Riba y Corpus Barga, entre otros viejos amigos. Todos trataron de aliviar los sufrimientos del poeta y de su madre, pero no pudieron evitarlos nada más que en muy pequeña parte. Fue tal vez Corpus Barga el más eficaz en la prestación de auxilios decisivos; él, que tenía permiso de residencia en Francia, gestionó el traslado a Collioure, bajó en brazos desde la estación hasta el centro del pueblo a la anciana madre del poeta —que preguntaba repetidamente, no se sabe si con ironía o, más probablemente, porque había perdido el sentido de la realidad, ¿falta mucho para llegar a Sevilla?—, y consiguió que la dueña de un modesto hotel, el Bougnol-Quintana, les cediese dos habitaciones para pasar los primeros días de destierro, hasta encontrar una solución definitiva con la esperada ayuda del Gobierno republicano. La ayuda no llegaría a tiempo (sólo una pequeña suma que consiguió enviar rápidamente Luis A. Santullano, secretario de la Embajada española en París) ni el poeta tendría oportunidad de ocupar una de las cátedras de literatura que inmediatamente le ofrecieron las universidades de Oxford y Moscú.

La solución definitiva de los problemas de Antonio Machado no tardó en ponerla la muerte. Su madre no se repuso nunca de las fatigas y los sufrimientos del viaje, y pasó en cama el breve tiempo que le quedó de vida, en estado de semiinconsciencia. Machado experimentó una leve mejoría, pero el 18 de febrero un súbito retroceso hizo temer el fatal desenlace, que efectivamente se produjo cuatro días después. El sepelio se convirtió en un acto espontáneo de público homenaje al poeta. He aquí el relato de José Machado:

> El entierro se verificó a las cinco de la tarde del jueves veintitrés de febrero. Asistieron a él muchos amigos y admiradores llegados de fuera. Fue conmovedor, pues a este acto se sumó todo el pueblo de Collioure, con su alcalde a la cabeza. Pero lo más emocionante fue cuando seis milicianos, envolviendo el féretro con la bandera de la República Española, lo llevaron a hombros hasta el cementerio. Y téngase en cuenta que, para realizarlo, tuvieron que escapar de la implacable vigilancia del tristemente famoso Castillo de Collioure, donde con tan injusto rigor se les trataba. En su admirable fervor, cumplieron esta abnegada obra sin dejar siquiera constancia de sus nombres. (...) Una buena señora republicana, amiga íntima de la dueña del hotel Bougnol-Quintana, que tan solícitos cuidados tuvo para todos, ofreció con toda devoción un lugar en el panteón de su familia para el entierro del poeta. Y allí reposa su cuerpo frente al mar.

Ana Ruiz, su madre no se dio cuenta de la muerte del hijo. Sólo después del entierro, al ver junto a la suya la cama vacía de Antonio, tuvo un repentino sobresalto, y preguntó por él. No se creyó la mentira piadosa con que trataron de tranquilizarla, y rompió en sollozos. Era el 25 de febrero. Murió esa misma tarde.

II. ANTONIO MACHADO
Y LA TRADICIÓN ROMÁNTICA

A Antonio Machado le han llamado de todo: desde poeta simbolista hasta poeta civil, desde poeta mágico hasta poeta folklórico, desde poeta castellano hasta poeta japonés; en el ancho mapa físico, político o estilístico de la cultura, apenas queda una parcela en la que no se haya tratado de confinar, con mejor o peor intención —y aún más variable fortuna— al poeta Antonio Machado. Y aunque muchas de tales denominaciones —o tal vez todas— sean en cierto modo justas, es evidente que, por contradictorias e incompatibles en apariencia, o simplemente por parciales, perturban y lesionan su obra en un espacio mayor que el que definen, niegan más de lo que afirman —especialmente si se aplican con la pretensión de recortar y fijar el perfil del, para cada quien, «único Machado valioso y verdadero».

En cambio, quizá porque en Europa y muy concretamente en Francia, el período romántico se considera interrumpido o superado por las corrientes parnasiana y simbolista, se ha insistido relativamente poco en las relaciones —a mi modo de ver, muy claras e importantes— que existen entre la poesía de Machado y el romanticismo. No debería olvidarse, sin embargo, a la hora de considerar esa posibilidad, que el romanticismo se manifiesta en España tardíamente y con más debilidad que en el resto de Europa, y no da lugar, en consecuencia, a una reacción de rechazo tan radical como —por ejemplo— en Francia.* En España, residuos un tanto extemporáneos e híbridos de romanticismo se prolongan —en casos aislados de modo brillantísimo: Bécquer y Rosalía de Castro— hasta penetrar en pleno siglo XX. Señalar la estirpe becqueriana de una parte de Machado —y de Unamuno y de Juan Ramón Jiménez— ha llegado a ser casi un lugar común. Menos en cuenta se tiene su confesada admiración por Espronceda y sus parciales pero llamativas coincidencias con Rosalía de Castro, que podrían resultar igualmente significativas. Aunque, en mi opinión, tales preferencias y coincidencias no prueban nada, o prueban muy poco. Porque esos tres poetas son los únicos que, en la reciente tradición lírica española, podían significar algo positivo para los poetas de principios del siglo XX. Su influencia no es el resultado de una libre elección: es una obligación. En el caso de Machado hay otras coincidencias con el romanticismo más reveladoras.

Pese a que la palabra «romanticismo» se asocia con frecuencia al nombre del poeta, esa asociación suele ser muy imprecisa y, en general, no supone más que un rápido apoyo para pasar a otros terrenos mucho más frecuentados por la crítica: el modernismo, el simbolismo, el noventayochismo. Pero no son nada abundantes los textos dedicados a explicar por qué Antonio Machado es un poeta romántico, y hasta qué punto es un poeta romántico. Como excepción, Vicente Gaos lo afirma tajantemente: «Antonio Machado es un poeta romántico, y eso es todo». Y Gutiérrez-Girardot adopta la misma posición cuando

---

* E. Allison Peers, *Historia del movimiento romántico español*. (*N. del A.*)

dice que el romanticismo «tiene en Machado su más alta e intensa realización y a la vez su agotamiento».

No deja de ser sorprendente que la crítica, que en los últimos años cayó torrencialmente sobre la obra de Antonio Machado, no se sintiese mejor dispuesta a mirar las cosas de ese modo y, limitándose a hacer alusiones laterales y fragmentarias, haya pasado como sobre ascuas por algo que se desprende con tanta naturalidad de las reflexiones en prosa de Machado y de sus libros de poemas. Por otra parte, entre los múltiples rasgos que convergen en su obra, los románticos son los únicos que no niegan ni perturban a los restantes; más bien resuelven bastantes de las aparentes contradicciones, sostienen y justifican por igual al *poeta del pueblo* y al poeta elegíaco, al poeta intimista y al poeta civil.

Es cierto que entre nosotros el problema general del romanticismo suele resolverse apelando a dos o tres lugares comunes —la inflación del «yo», el desorden expresivo, el irracionalismo— que, si no se corrige con las adecuadas matizaciones, en nada hacen justicia a tan complejo movimiento. Pero eso no basta para explicar la casi unánime actitud de la crítica machadiana, en tantos ejemplos extraordinariamente penetrante y valiosa. Quizá haya que tener también en cuenta la —para algunos— perturbadora presencia del simbolismo, cuya proximidad respecto a nuestro poeta no permite en ocasiones advertir que la poesía de Antonio Machado es, sobre todo, el resultado de un *consciente y tenaz rechazo de sus postulados centrales*.

Y esta afirmación quizá exija algunas precisiones terminológicas, por obvias que puedan resultar. Porque, al hablar de romanticismo y de simbolismo, quiero aludir a movimientos literarios concretos, tal como se definieron en un período histórico determinado, y no a vagas disposiciones anímicas (las implícitas en la dicotomía dionisíaco-apolínea formulada por Nietzsche) o a modos expresivos (la comunicación mediante símbolos) compartidos por artistas de todos los tiempos. Con mucha frecuencia, y a costa de Machado, se emplean tales términos con indeseable ambigüedad. Pero en esta ocasión, donde escribo *romanticismo* debe entenderse, estrictamente, la tendencia literaria «surgida en Alemania e Inglaterra a partir de 1790 como un nuevo modo de imaginación y visión, que se extendió con considerables modificaciones, a través de toda Europa entre 1800 y 1830»[*]. Con la palabra *simbolismo* quiero nombrar al movimiento que sucede en Francia al parnasianismo, y que prolonga e intensifica algunos rasgos del romanticismo histórico, del que sin embargo difiere, entre otras cosas, «en el rechazo general de la sentimentalidad, la retórica, la narración, las declaraciones directas, las descripciones, los temas públicos y políticos, el didactismo de cualquier clase»[**]. Me parece evidente que si aplicamos así esos conceptos a Antonio Machado, la etiqueta simbolista sólo podría amparar una pequeña parte de su obra. Y si tomamos al pie de la letra el rechazo de la sentimentalidad, ni eso.

No obstante, no se me oculta que la obra de Machado puede y debe relacionarse, en algunos de sus aspectos fundamentales, con el simbolismo. Lo

---

[*] *Princeton Encyclopedia of Poetry & Poetics;* utilizo una definición básica, objetiva y ajena para que no se me acuse de manipular los conceptos según mis conveniencias. *(N. del A.)*
[**] *Ídem. (N. del A.)*

que pienso es que, en su inevitable relación con el simbolismo, la trayectoria de Machado está dirigida más por una fuerza centrífuga que centrípeta. Si Machado parte de posiciones próximas al simbolismo —aunque nunca exactamente coincidentes— es para derivar pronto por otros rumbos: «Recibí alguna influencia de los simbolistas franceses —reconocía el poeta en un texto de 1913—, pero ya hace tiempo que reacciono contra ella».

Antonio Machado y el simbolismo

Poca atención han merecido esas palabras de Machado. Los críticos se empeñan —celosos de su papel de Guardianes de la Escritura— en no tomar en cuenta lo que los autores dicen de sí mismos. Los críticos tienen muchas razones lícitas para comportarse así, pero a veces equivocan a sus lectores, especialmente si sólo aceptan los testimonios que convienen a sus ideas previas y desconocen —es decir, eliminan sin consideración— todos los demás. Por lo que respecta a Antonio Machado, creo que hay que hacerle caso tanto cuando confiesa la influencia del simbolismo como cuando, acto seguido, afirma su temprana reacción en contra.

Recordar lo que Machado ha escrito sobre el simbolismo ayuda a comprender las bases románticas en las que descansa su poética, y las razones que le llevaron a conectar con una corriente que ya en su tiempo parecía agotada o superada.

En realidad, cuando Machado expresa opiniones acerca del simbolismo casi siempre parte del romanticismo como fundamental punto de referencia. Machado era muy consciente de las relaciones existentes entre romanticismo y movimiento simbolista, en el que veía la intensificación y la corrupción del individualismo romántico. Entre las numerosas referencias al tema que pueden entresacarse de su obra en prosa, elijo una —tomada de su proyecto de discurso de ingreso en la Academia— que ejemplifica bien sus ideas:

> «Mi corazón —anticipa Heine— se parece al hondo mar; el huracán y la marea lo agitan; pero en su arena oscura bellas perlas se esconden; cavando en sí mismo hasta alcanzar los más hondos estratos de la subconciencia, buceando en sus más turbios mares, encontrará el poeta su tesoro». Y fueron las bellas perlas heineanas, asombro y encanto de la luz, cuando auténticas, las que al fin se habían de fabricar artificialmente a bajo precio. El momento profundo de la lírica que coincide con el culto un tanto supersticioso de lo subconsciente dejó algunas obras inmortales, entre ellas las de toda una escuela perfectamente lograda: el simbolismo francés. Es evidente que en la poesía de los simbolistas el largo radio de los sentimientos se ha acortado hasta coincidir con el radio, mucho más breve, de la sensación; y que las ideas propiamente dichas, esas luminarias del horizonte, inasequibles constelaciones de la mente, se han eclipsado.

No nos dejemos engañar por los elogios dedicados al simbolismo. Lo que Machado nos está

diciendo en ese texto es que la actitud introspectiva, al pasar del romanticismo al simbolismo, cruza
la frontera que separa lo auténtico y rico de lo artificial y barato. Y que ese empobrecimiento se debe a
la reducción del «radio de los sentimientos» y al eclip-
se de «las ideas propiamente dichas». No es difícil
confirmar en el desarrollo de su obra en verso que la
conservación de esos dos rasgos *todavía románticos* es
lo que hace que el simbolismo de Machado no fuese
nunca —desde su primer libro— el simbolismo de su
tiempo, o lo que el simbolismo había llegado a ser
en la obra de otros grandes poetas de su tiempo. Si
Machado fue —durante un trayecto más bien cor-
to— compañero de viaje de los simbolistas, abandonó su tren antes de llegar a la lujosa estación ter-
minal Mallarmé-Valéry, en cuya decoración ya no
iba a encontrar ni siquiera restos de las riquezas románticas que él consideraba auténticas, sino tan sólo
(siempre según él) bisutería, perlas fabricadas «artificialmente a bajo precio».

    ¿En qué momento del recorrido se ha pro-
ducido el cambio? Machado señala con precisión el
punto de divergencia: «La poesía occidental», nos dice, «tiene en Rimbaud su extrema expresión dinámica. Después de Rimbaud, la poesía francesa entra en
un período de desintegración».

    Después de Rimbaud prosigue Mallarmé.
A su altura, las discrepancias de Machado no admi-
ten paliativos. En un artículo titulado «Al margen
de un libro de V. Huidobro», escribe:

    Si entre el hablar y el sentir hubiese per-
fecta conmensurabilidad, el empleo de las metáforas sería no sólo superfluo, sino perjudi-

cial a la expresión. Mallarmé vio a medias
esta verdad. Él ha visto bien claro, y lo dice
en términos expresos: *parler n'a trait a la
réalité des choses que commercialement;* pero en
su lírica, y aun en su preceptiva, se advierte
la creencia supersticiosa en la virtud mágica
del enigma. Ésa es la parte realmente débil
de su obra. Crear enigmas artificialmente
es algo tan imposible como alcanzar las verdades absolutas. Pueden, sí, fabricarse misteriosas baratijas (...); pero los enigmas no
son de confección humana; la realidad los pone y, allí donde están, los buscará la mente
reflexiva con ánimo de penetrarlos, no de re-
crearse en ellos.

Lo que Machado nos dice está —otra vez—
muy claro: no acepta la disolución del mundo exterior, la fabricación o confección humana de enigmas
al margen de la realidad. Sus teorías son la formulación lógica del argumento de su lírica; porque incluso los recuerdos y los sueños son en su poesía una
manera de reconstruir o restaurar el mundo —aunque sólo sea *su mundo*— que el tiempo deteriora,
nunca de disolverlo. Así, a medida que el simbolismo va quemando etapas, Machado manifiesta de
modo más terminante su repulsa. El juicio que le
merece Valéry es duro: «Cuanto hay de esencial en su
lírica es una metafísica tan vieja como Parménides de
Elea, y todo lo demás es pura algarabía».

Otra razón de peso para tomar en serio sus
reflexiones es que cuando Machado opina sobre el
tema, no está inventando un movimiento simbolista para su uso particular, sino que está definiéndolo

en lo que verdaderamente fue, de acuerdo con sus características reales. Quizá no lo juzgó con equidad —ése es otro problema—, pero sin duda lo describió con clarividencia. Al elegir a Rimbaud como eje en torno al cual la poesía francesa gira hacia lo que para él es un «período de desintegración», Machado demuestra que sabía muy bien de lo que estaba hablando. Porque, como puntualiza Hugo Friedrich —y vuelvo a apelar a autorizadas palabras ajenas—, la obra de Rimbaud se presenta dividida «en dos mitades: la primera, hasta mediados de 1871, en que termina aproximadamente la poesía inteligible, y otra que comprendería la poesía ulterior, oscura y esotérica» *(Estructura de la lírica moderna)*. El eje Rimbaud, al girar sobre sí mismo, va a producir un doble efecto: por un lado, permite la entrada a «los prodigios artificiales»; y por otro, ciega la visión del mundo exterior, ese mundo al que la poesía, según Machado —recordemos su definición—, debía dar una «animada respuesta». Hasta entonces los poetas habían tenido en cuenta, en cierta medida (cito nuevamente a Hugo Friedrich), «las condiciones objetivas previas», seguían existiendo «relaciones posibles con el mundo real. Pero a partir de Rimbaud, la lírica ya no tiene tales miramientos».

Probablemente era inevitable, sin duda alguien iba a hacerlo de un momento a otro; pero fue precisamente Rimbaud quien tuvo el valor de darle a la realidad con la puerta en las narices. Sonado portazo, cuyos ecos aún se perciben; «extrema expresión dinámica de la poesía occidental», dirá Machado cortésmente desde el umbral del ámbito que el poeta francés cerró tan ruidosa como herméticamente. Ese gesto de Rimbaud fue la causa de que

Machado se quedase fuera de las corrientes literarias a la moda de su tiempo.

El romanticismo, tercera dimensión de Antonio Machado

Es esa reacción frente al simbolismo, ese empeñado esfuerzo para contrarrestar la atracción de lo que fue para los poetas de su época —y para él mismo— el natural centro de gravedad, lo que obligó a Machado a retomar en sus orígenes la tradición romántica, en la que encontró el necesario punto de apoyo para iniciar una aventura que si en su día pareció anacrónica, ya puede ser considerada en todo lo que tiene de valioso y original. Porque lo que es visto como anacrónico dentro de cada época, va perdiendo ese carácter a medida que la época entera se convierte en un anacronismo. Juan Sebastián Bach fue un compositor anacrónico para sus contemporáneos, pero ¿a quién le importa ahora eso?, ¿a quién le importa ahora que Machado pareciese en los años veinte un «poeta viejo», cuando todo su tiempo está convirtiéndose en polvorienta materia de museo o de *revival* nostálgico y falsificador?

Dicho con palabras de Antonio Machado: las cosas y los acontecimientos, «al alejarse de nosotros, pierden a nuestros ojos su tercera dimensión, nos aparecen como estampas descoloridas del pasado». Acaso los rasgos románticos de Machado pertenezcan a una tercera dimensión que el tiempo ha vuelto borrosa.

Pero sin duda en su época no era así; entonces Machado debía componer una extraña figura para los fanáticos de lo nuevo. Cansinos Assens, en una crónica publicada en *El Imparcial,* ve a Machado como «el poeta que en esta España de 1924 parece vivir la vida, toda sueño, de un retrato de la época isabelina, y encarnar esa figura de español antiguo, triste, apático, romántico y pobre...». De ahí a llamarle «poetón aportuguesado», como dicen que —emparejándolo con Unamuno— hizo Juan Ramón Jiménez, sólo hay un paso. No llega tan lejos el ilustre patrocinador de vates ultraístas, aunque corone el retrato de Machado con palabras reveladoras de una indulgencia que sólo se ejerce con los casos perdidos:

> ... el poeta, el caballero antiguo, asume un aire de abuelo que nos enternece a lo humano, aunque artísticamente no nos emocione. Pero entonces nos abstenemos de silbar a quien de otro cantor ha dicho: «ahora le tiembla la voz, / que no le silban sus coplas, / que silban su corazón».

El artículo de Cansinos Assens, visto fuera de su contexto, es un excelente ejemplo de inteligente error. Es la suya la mirada fatal y rigurosa de un hombre de su tiempo que está juzgando a Machado de acuerdo con los ideales entonces vigentes, e incurriendo en lo que hoy resulta una brillante tontería; porque ahora Machado nos emociona artísticamente mucho más que los poetas defendidos por Cansinos: ellos, al perder su tercera dimensión, se han empequeñecido.

En cualquier caso, la crónica citada —seguramente justa de acuerdo con los puntos dominantes en su día— está llena de sagaces atisbos; ese afán por ejemplo de empujar a Machado hacia la época isabelina, de situarlo a «la sombra de la chistera de Larra», de disfrazarlo con atuendo romántico, no debe atribuirse a gratuita malevolencia: obedece al deseo de poner las cosas en su lugar, es el resultado de una sensibilidad capaz de detectar esa «tercera dimensión» que a nosotros ya no nos importa, ni apenas advertimos. La sentimentalidad de Machado, su respeto por la realidad lingüística y por el mundo exterior, su tendencia al concepto, tenían que ser interpretados así, como lo que son —supervivencias románticas—, por parte de quienes llevaron a su extremo en el arte la disolución de todos esos postulados que, en su día, los simbolistas habían convertido ya en ceniza.

El subjetivismo de Machado es, pues, de carácter muy distinto al individualismo de los simbolistas y vanguardistas: es un subjetivismo corregido y matizado por todo lo que Rimbaud y sus continuadores habían eliminado de la lírica de la primera mitad del siglo XIX. El subjetivismo fue para él, como para los románticos, «condición insoslayable antes que programa» (Langbaum); así lo reconoce en el prólogo a la segunda edición de *Soledades:* «Ningún alma sincera podía entonces aspirar al clasicismo. (...) La ideología dominante era esencialmente subjetivista». Y si el *condicionamiento* llegó a ser alguna vez *programa,* se debe a ciertas virtudes homeopáticas atribuidas por el poeta al individualismo romántico, y que le llevaron a asumirlo como una especie de contraveneno o —en sus propias palabras— «buen antídoto para el culto sin fe de los viejos dioses, representados ya en nuestra patria por una imaginería de cartón piedra».

Antonio Machado y la teoría romántica

En el año 1800, y en el prefacio a sus *Baladas líricas,* publica Wordsworth su famosa definición de la poesía: «Espontáneo desborde de sentimientos intensos». Gran parte de lo que iba a ser el romanticismo estaba ya ahí, en esa frase. En el año 1917, y en el prólogo a sus *Poesías escogidas,* confiesa Machado que cuando escribía *Soledades* pensaba que la actividad poética era «una honda palpitación del espíritu: lo que pone el alma, si es que algo pone, o lo que dice, si es que algo dice, en respuesta animada al contacto del mundo». Gran parte de lo que había sido el romanticismo está todavía ahí, en esa frase. No parece que entre prefacio y prólogo medie un período de ciento diecisiete años. Machado repite la idea de Wordsworth y, cuando alude a una «animada respuesta al contacto del mundo», la matiza sin salirse de los más estrictos cauces románticos; pues, como puntualiza M. H. Abrams, «no menos característico de la teoría romántica [que el individualismo] es una serie de analogías alternativas que implican que la poesía es una interacción, un efecto combinado de lo interno y lo externo, la mente y el objeto...» *(El espejo y la lámpara).* Evidentemente, ese «efecto combinado» disminuye el papel y la eficacia del «alma» del poeta: ya no procede todo de ella. Por esa razón, Machado concede un margen a la duda, marcado por las expresiones condicionales «si es que algo pone», «si es que algo dice» que afinan y ajustan la vieja idea de Wordsworth a la nueva situación.

Cuando escribe *Campos de Castilla,* otros
principios informan el trabajo de Antonio Machado: «Cinco años en tierras de Soria —nos dice—
orientaron mis ojos y mi corazón hacia lo esencial
castellano». El objeto, el mundo exterior, cobra una
renovada importancia. El poeta rompe el ensimismamiento para contemplar sentimentalmente la
realidad, y esa contemplación se configura como el
argumento primero del libro. El «yo» se muestra
aún más consciente de sus límites: lo exterior se le
impone. Y contra el criterio de quienes explican
el romanticismo únicamente en función del individualismo, esa evolución desde la subjetividad
hacia la objetividad, desde la introspección hasta
la exploración decidida del mundo, no supone la
quiebra del impulso romántico sino su definitiva confirmación. Porque, de acuerdo con Robert
Langbaum:

> ... es un error histórico acusar a los román-
> ticos de subjetivismo. Eso es malinterpretar
> la dirección del pensamiento romántico. Por-
> que la subjetividad no fue el programa, sino
> la insoslayable condición del romanticismo.
> En cuanto el siglo XVIII dejó al individuo
> aislado en sí mismo —sin una contraparti-
> da objetiva de aquellos valores que él sentía
> en sus propios sentimientos y deseos—, el
> romanticismo inicia un movimiento hacia la
> objetividad, hacia un nuevo principio de co-
> nexión con la sociedad y con la naturaleza
> por medio de la afirmación de los valores
> del mundo exterior. (...) en cualquier caso,
> sólo cuando ha comenzado a reconstruir el

mundo exterior y a creer en él, puede ser llamado romántico el hombre del siglo XIX.*

Es decir: el individualismo romántico no llega a la disolución del mundo exterior, tarea que va a quedar a cargo de sus sucesores, los poetas simbolistas. Por el contrario, el romántico, para serlo, necesita realizar ese desplazamiento «hacia la objetividad, hacia un nuevo principio de conexión con la sociedad y con la naturaleza» que Langbaum señala y que Machado, en *Campos de Castilla,* lleva a cabo con sorprendente fidelidad. Verdaderamente, parece que Langbaum está trazando la trayectoria del propio Machado, al describir el desarrollo del romanticismo.

En 1920, cuando Machado prepara la publicación de *Nuevas canciones,* su estética no se ha alterado en lo fundamental. En respuesta a un cuestionario redactado por Rivas Cherif, vuelve a decir que la poesía debe ser expresión de la naturaleza, incluyendo en ella «no sólo el mundo exterior, sino el corazón del hombre». Y añade, indicando ahora que sí hubo cambios importantes en su modo de entender la escritura poética:

> Yo, por ahora, no hago más que folklore, *autofolklore* o *folklore* de mí mismo. Mi propio libro será, en gran parte, de coplas que no pretenden imitar la manera popular —inimitable e insuperable, aunque otra cosa piensen los maestros de retórica—, sino coplas don-

---

* Robert Langbaum, *A poetry of experience.* (La traducción es mía, A. G.) *(N. del A.)*

de se contiene cuanto hay en mí de común
con el alma que canta y piensa en el pueblo.
Así creo yo continuar mi camino sin cambiar
de rumbo.[*]

Muy justo, una vez más Machado, al enjui-
ciar su propio trabajo. Porque eso que él nos dice
parece estar, en verdad, detrás de *Nuevas canciones*.
Son patentes en ese libro sus esfuerzos para liberarse
de lo que, adoptando una idea de Langbaum, llamé
«insoslayable condición» de su poesía: el individualismo. Pero las puertas de salida que había elegido
hacia 1920 —la naturaleza y el folklore— podrían
conducir a otra sala del mismo recinto romántico.
«Sin cambiar de rumbo», dice Machado de su trayectoria, al llegar a la última etapa. Quizá sería más
exacto decir «sin cambiar de impulso», pues si éste
sigue siendo en gran medida romántico, ya se ve
entonces muy claramente que, en ese momento, muchos de los objetivos que el poeta se propone —renunciar a lo que le individualiza para destacar lo que
hay en él de común— han dejado de serlo. De todas
formas, los poemas que escribirá al final de su vida
—y el ejemplar final de la misma, tan ligados a sus
preocupaciones patrióticas, a su insobornable amor a
la libertad, y a la historia política de su país— definen la estirpe de su romanticismo: ese romanticismo que llegó a España en el equipaje de unos liberales emigrados «reinando Fernando VII», y que se fue
de España desandando el mismo camino, expulsado
por la misma vieja Historia, con Antonio Machado,
algo más de cien años después.

---

[*] Citado por J. M. Valverde en su edición de *Nuevas canciones*. (*N. del A.*)

Rasgos románticos en la poesía
de Antonio Machado

Pero, además de lo que se puede deducir de los inequívocos planteamientos teóricos de Antonio Machado, ¿no es indudable para un lector desapasionado que incluso sus primeros poemas, aquellos en los que se pueden encontrar más afinidades con el simbolismo, configuran unas preocupaciones y un mundo fuerte y directamente arraigados en rigurosas preocupaciones románticas?

Romántica, fundamentalmente romántica, es la preocupación por la sinceridad que descubre el poema XXXVII, aquel que empieza, con invocación y tono inconfundible: *Oh, dime, noche amiga, amada vieja...* El poeta interroga a la noche para saber «si son suyas las lágrimas que vierte», pero su anhelo de que el poema revele a un hombre real y no a un histrión será cuestionado por la noche, incapaz de confirmarle el sentido último de «ese que él llama salmo verdadero». Para su oscura interlocutora, el poeta en su obra, «en su sueño», no tiene una identidad definida, es una imprecisa figura «vagando en un borroso laberinto de espejos». Machado, ya desde *Soledades,* intuye que la realidad de la palabra poética es el reflejo falso de una ficción, la imagen que un espejo recoge de otro espejo: la aparición de una apariencia. Pero tan temprana sospecha no invalida la orientación romántica del poema, confirmada por las mismas vacilaciones que expresa. Porque Machado es desde el principio un romántico que duda, un romántico pesimista —es decir, un verdadero romántico—, consciente de la insalvable grieta que separa la infinitud de las aspiraciones de su espíritu y la limitación que le impone su condición humana. «¿Qué es esa gota en el viento que grita al mar: soy el mar?», se pregunta en el poema XVIII. La pregunta es puramente retórica: la incógnita está resuelta en su mismo planteamiento, en la desproporción entre «gota» y «mar», que convierte en ilusoria la desmesurada pretensión —romántica— del grito.

La causa de la melancolía del joven Machado, de «su vieja angustia» —y tan vieja: ya Federico Schlegel daba noticia de ella—, de su «usual hipocondría», que tanto ha intrigado a algunos críticos, habrá que buscarla ahí, en el fracaso de la ambición —insisto, romántica— de infinitud. «Y no es verdad, dolor: yo te conozco, tú eres nostalgia de la vida buena...», confiesa Machado en uno de sus primeros poemas, reduciendo el dolor a la dimensión romántica de *nostalgia*. Carlos Bousoño ha señalado relaciones inequívocas entre *el soñar* de Machado y el de Bécquer. Lo mismo podría decirse de su persecución de lo imposible: «No eres tú a quien yo buscaba», dice el poeta a lo que encuentra. Pero ¿para qué insistir con nuevos ejemplos? La insatisfacción romántica le saldrá al paso al lector de *Soledades* casi en cada verso. Más claro, agua: «... la sed que siento / no me la calma el beber!».

Frente al equilibrio entre la naturaleza y el espíritu, característico del arte clásico, en Machado se da la tensión dialéctica típica del romanticismo, que lo mantiene en una posición inestable, movido incesantemente por la fuerza de atracción de dos

núcleos contrarios: la aspiración a lo absoluto, y la
convicción de su imposibilidad. Su dos grandes contemporáneos, Juan Ramón Jiménez y Unamuno,
atormentados por el mismo problema, lo resolverán
haciendo trampa: Jiménez convirtiéndose en un dios
con minúscula, como culminación de toda su obra,
y Unamuno creando ocasionalmente a un Dios como
prenda de su anhelada eternidad. Pero Machado
juega limpio, no detiene el fluir de su discurso poético en ninguno de los dos polos; el resultado será la
melancolía, primero, y el escepticismo y la ironía
después.

Antonio Machado, ¿poeta romántico?

Muchas más coincidencias podrían señalarse
entre la lírica de Machado y la de los poetas románticos; pero creo que no es necesario aportar más ejemplos. Los ya expuestos me parecen suficientemente
reveladores de las raíces que su obra tiene en la más
ortodoxa tradición romántica.

Sin embargo, deducir de todo ello que Machado es un poeta romántico, y nada más que eso,
me parece excesivo. Las creencias que él sustentaba
habían configurado como románticos a los hombres
de la primera mitad del siglo XIX, pero no podían
producir el mismo efecto sobre quien, en el siglo XX,
había definido a la poesía como el «diálogo de un
hombre con su tiempo». Para ser de verdad romántica, a la obra de Machado le ha faltado eso: el tiempo propicio. Además, tampoco Machado pretendió
ser romántico, sino vencer la atracción del romanti-

cismo sin coincidir con la órbita descrita por el simbolismo. Pero si su reacción frente a la poesía de su tiempo le obligó a moverse en contra de lo que había llegado a ser el exacerbado subjetivismo simbolista, el intento de superar la tradición romántica lo llevó a cabo aprovechando, como punto de partida, el mismo impulso individualista que había movido a los románticos. En ese sentido, la trayectoria de Machado, pasando, sin tocarla, sobre la actualidad de su tiempo, apuntaba a un futuro que, aunque él juzgaba inalcanzable de momento —otro gesto romántico—, deseaba e intuía próximo: «Pero amo mucho más —confiesa— la edad que se avecina y a los poetas que han de surgir cuando una tarea común apasione a las almas».

Así, la poesía de Antonio Machado navega entre el ayer y el mañana, sin detenerse ni llegar, fluida como el tiempo mismo; no se quedó anclada en el río de Heráclito, sino que intentó seguir su curso, formar parte de él, correr su azarosa suerte. En un luminoso texto atribuido a Abel Martín, se muestra Machado muy consciente de todo lo que hay de romántico en ese desplazarse hacia un tiempo que no es el suyo:

El romanticismo —decía mi maestro— se complica siempre con una creencia en una edad de oro que los elegíacos colocan en el pasado, y los progresistas en un futuro más o menos remoto. Son dos formas (la aristocrática y la popular) del romanticismo, que unas veces se mezclan y se confunden, y otras alternan según el humor de los tiempos. Por debajo de ellas está la manera clásica de ser romántico, que es la nuestra, siempre interrogativa: ¿adónde vamos a parar?

La forma o «la manera» es todavía romántica; el fin que el poeta se propone, ya no. Quiero decir que, en la última parte de su obra, con actitudes evasivas —aunque no escapistas— propias del romanticismo, Machado se desplaza hacia metas que ya no pertenecen al ámbito romántico. *Nuevas canciones* es un libro que replantea muchas de las obsesiones juveniles de su autor. No se trata en ningún caso de repeticiones. La ironía o el escepticismo proyectan sobre los viejos temas nuevas luces, que nos permiten comprobar la magnitud real de su evolución.

Así, por ejemplo, la ambición de sinceridad y las consiguientes dudas expuestas en el ya aludido poema XXXVII, encuentran réplica en el soneto IV de «los sueños dialogados». Los dos poemas ofrecen semejanzas de tono y de estructura profunda, ambos están compuestos en torno a una invocación y a una pregunta. En el caso del soneto, no es la noche la interrogada, sino la soledad. Sin embargo, la cuestión planteada marca sustanciales diferencias. Al poeta ya no le interesa averiguar «si son suyas las lágrimas que vierte». El problema de la identidad del personaje poético ya no es, a esa altura, su problema:

Hoy pienso: este que soy será quien sea;
no es ya mi gran enigma este semblante
que en el íntimo espejo se recrea...

La preocupación romántica por la sinceridad ha sido superada por el poeta, interesado ahora en desvelar el «misterio de la voz» que le proporciona «el vocablo que nunca (...) pedía». «Voz», «vocablo», o lo que es igual «palabra», he ahí una de las obsesiones del último Machado.

De ese modo, moviéndose en esa dirección, Machado alcanza el punto de máxima distancia respecto al romanticismo cuando define a la poesía como «palabra en el tiempo», y crea a los poetas apócrifos. En ese momento consigue romper las últimas amarras que lo ligaban al «yo» que los románticos —y él mismo— habían puesto en primer plano. La poesía ya es —como los teóricos del *New criticism* iban a proclamar algunos años más tarde— sólo palabra; y la voz que habla en el poema procede definitivamente de un personaje imaginario (también la crítica llegaría después a esa conclusión).

Así tocó Antonio Machado —o mejor dicho, sus adelantados Martín y Mairena— las orillas de esa «edad que se avecina», sin tiempo ya para instalarse en ella.

III. ANTONIO MACHADO
Y EL DISCURSO DIALÉCTICO

Identidad de contrarios

Una de las primeras consecuencias que se derivan de la lectura reiterada de la obra completa de Antonio Machado es la comprobación de este hecho sorprendente: su palabra poética desprende como un halo creciente de significaciones. Cuando el lector cree haber delimitado (aunque aproximadamente) su alcance expresivo, un nuevo ensanchamiento le hace ver que está todavía lejos de sus fronteras últimas. Se dirá que éste es un efecto común a toda la gran poesía, y que no hay, por lo tanto, motivo de sorpresa. Pero esta cualidad expansiva es especialmente misteriosa en Antonio Machado, porque procede de un lenguaje casi siempre transparente y de un mundo muy limitado, *en su apariencia.* Y cuando hablo de una apariencia de limitación, me estoy refiriendo al hecho de que Antonio Machado repite, en su no demasiada extensa obra en verso, las palabras y los símbolos, combina una y otra vez las mismas sustancias y los mismos procedimientos formales para expresar tercamente un coherente y cerrado núcleo de preocupaciones.*

---

* Sin duda, el mundo de Machado es más complejo de lo que a primera vista puede parecer. Es un mundo que pasa del *yo* al *nosotros,* del tiempo interior al tiempo histórico, de la exploración de las *galerías del alma* a la

Así, el misterio de la poesía de Machado se nos presenta, en principio, como la oposición de dos realidades contradictorias que se resuelve en equivalencia o identidad: por una parte un uso natural —relativamente natural— del lenguaje, y un mundo aparentemente limitado; y por otra parte, la complejidad de las significaciones, la ambigüedad —que en vez de reducirse, crece a medida en que se insiste en la lectura de los poemas que las expresan.

Este resultado puede formularse en un binomio en el que, paradójicamente

$$claridad\ y\ simplicidad = ambig\ddot{u}edad$$
$$y\ complejidad.$$

El misterio queda así formulado, pero no resuelto; misterio, por otra parte, que se advierte también en los más hondos estratos del plano del contenido. Porque, quien busque en la lectura reiterada de Machado una explicación satisfactoria, acabará advirtiendo muy pronto que la igualdad o identidad práctica de ciertas cualidades contrarias no se refiere sólo a la —sin duda engañosa— desproporción entre el signo y las significaciones, sino que llega a establecerse entre muchas de las sustancias heterogéneas y opuestas que nutren la obra del poeta: identidad entre *luz* y *sombra,* identidad entre *rumor* y *silencio,* identidad entre *sueño* y *vida,* para citar nada más que algunas de las más evidentes.

---

búsqueda de la realidad exterior, de lo lírico a lo épico y narrativo, de lo culto a lo popular, de lo estético a lo ético, de lo intuitivo a lo racional. Y todos esos aspectos no son en él contradictorios, sino complementarios. La limitación de la que hablo es sólo aparente, es decir, engañosa. *(N. del A.)*

Esas reflexiones me animaron a dedicar especial atención a tales identidades. Me parecía que una descripción convincente de los inquietantes desplazamientos de los signos machadianos, de sus inesperadas y constantes mutaciones, podía aclarar en alguna medida las causas de su evanescente sentido. Y de ese modo, al reducir el misterio de su poesía a una relación de contrarios que se oponen primero, y se transforman e identifican después, el problema quedaba planteado en términos inequívocamente dialécticos.

En cualquier caso, no es difícil relacionar la dialéctica, en un sentido amplio, con Antonio Machado. Esa palabra es una de las favoritas de Juan de Mairena. Y el método dialéctico es el preferido por el pensador Machado, quien, para demostrar lo que quiere demostrar, se atiene con absoluta fidelidad a las tres posiciones fundamentales en las que se apoya el discurrir dialéctico: la afirmación, la negación y la negación de la negación. Machado piensa así y siente así. Ese comportamiento es en él vital e intuitivo, pero sin duda es también reflexivo y consciente. Probablemente, Juan de Mairena admiraba por una razón de afinidad metodológica a Bécquer, del que decía: «En su discurso se sigue el principio de la contradicción propiamente dicho: *sí, pero no; volverán, pero no volverán*».

Lo que ocurre es que en Antonio Machado la contradicción suele complicarse, y su discurso se ajusta al esquema más rico del *volverán, pero no volverán, ni dejarán de volver*; el *sí* y el *no* se prolongan con frecuencia en un *sin embargo*, que devuelve al negado *sí* una gran parte de su primitiva razón de ser.

Baste un solo ejemplo, entre los muchos que ofrece su prosa, para mostrar el rigor con que Machado aplica esos principios. Hablando de los poetas del siglo XIX, primero los afirma —*no (los) despreciemos..., porque no hay nada en ellos que sea trivial*—; luego los niega —*cierto que al alejarse de nosotros pierden su tercera dimensión*—; y finalmente se desdice de esta negación, abriendo la posibilidad de volver a la afirmación inicial —*pero... la desvalorización de un tiempo según la perspectiva de otro, no siempre es justa y está sometida a múltiples rectificaciones.*

Es importante puntualizar que Machado no sólo es dialéctico en el proceso externo de su pensamiento, sino que —ampliando el concepto de la dialéctica en la misma dirección que siguió Carlos Marx— ve también a las cosas como dialécticas en sí mismas, en constante transformación y movimiento. Y digo que es importante porque esta particular comprensión de la realidad repercute de manera evidente en las sustancias de su poesía, y, desde allí, en sus rasgos estilísticos formales. Machado recorre un camino, lo mira desde diferentes posiciones, y ve además el camino en movimiento: un camino que «se aleja y desaparece», que «serpea», que surge y se borra como las «estelas en el mar»; algo, en resumen, *dialéctico,* que se niega a sí mismo, y que el poeta, en consecuencia, niega —«caminante, no hay camino»— para afirmarlo después en su realidad cambiante —«se hace camino al andar».

Como sugiere todo esto, la actitud dialéctica —tan caracterizadamente romántica, por otra parte— desempeña en la poesía de Machado un papel central, sin duda todavía más trascendente ahí que en su prosa. Cuando hablamos de la dialéctica estamos, en mi opinión, señalando una de las causas primeras que hacen que su poesía sea lo que es: misterio, movilidad, pensamiento y sentimiento vivos.

Dada la abrumadora extensión de la bibliografía crítica en torno a Machado, no sé si alguien ha intentado acercarse a sus poemas con un criterio primordialmente dialéctico. En ese sentido, no faltan (como ocurre respecto a la tradición romántica) las alusiones y las aproximaciones —y una vez más es necesario recordar a Gutiérrez-Girardot y no dejar al margen algunas penetrantes sugerencias de J. M. Valverde—, pero creo que nadie ha llevado hasta sus últimas consecuencias la tentadora posibilidad de situar toda su obra sobre el común denominador de la dialéctica, que sostendría con igual firmeza las aparentemente contradictorias actitudes que adoptó el poeta. En cualquier caso, creo que es conveniente insistir en el comportamiento *grosso modo* dialéctico —negaciones y momentáneas identidades— de algunos de los elementos que se estructuran en su poesía; comportamiento en el que, repito, veo una de las causas más importantes del carácter evasivo de sus signos, y de la resistencia que oponen a ser trasladados a otra escritura que no sea exactamente aquella en la que están integrados.

Imágenes-síntesis

Un ejemplo ya citado facilitará una más precisa exposición de lo que estoy diciendo. El *camino*, como imagen, suele aparecer en los poemas de Machado como una síntesis de dos elementos: el «caminante» y el «camino» propiamente dicho, tan inseparablemente identificados que, en ocasiones, la desaparición de uno lleva consigo la desaparición del otro. Esta observación puede hacerse extensiva a muchas de las imágenes que Machado utiliza. Fiel a su visión dialéctica, el poeta se complace en componer síntesis semejantes, en las que entidades contrarias se armonizan y complementan hasta llegar a veces a identificarse en algún punto de su devenir.

La expresión *componer síntesis* es una tautología de la que soy consciente, pues «síntesis» significa, literalmente, «composición». Una vez más, un término inevitable en la dialéctica resulta doblemente justo para el poeta: en su acepción literal, y en el sentido más familiar que le dan los críticos de pintura —«arte de agrupar figuras y accesorios»—, pues es justo reconocer el esmero y la maestría con que Machado dispone los objetos que integran sus poemas.

Muchas de las palabras características de Machado incluyen los dos términos contrarios —o contradictorios—; designan realidades que son en sí mismas composiciones o síntesis. En el «iris», por ejemplo, se polarizan dos fenómenos meteorológicos percibidos normalmente como opuestos: la lluvia y el sol. Y los «atardeceres» y «crepúsculos» —hacia los que el poeta manifiesta tan descarada preferencia— no se limitan a evocar un melancólico sentimiento de postrimerías; muestran, mejor que ningún otro momento del día, el movimiento de ciertas realidades hacia sus contrarios. El crepúsculo precipita el acontecimiento de la negación, expone el devenir sombrío de la luz, es el instante dinámico y dialéctico por excelencia, en el que se produce el encuentro de dos grandes contrarios: el día y la noche, la claridad y las tinieblas.

Pero hay otras síntesis en las que los dos componentes aparecen siempre explícitamente destacados por el poeta. Entre ellas, la fuente es una de las más notables por su eficiencia y su frecuencia: la fuente *de agua y piedra*. Pocas veces deja Machado de aludir expresamente a esos dos elementos integradores de la fuente, portadores de cualidades opuestas: fluidez e inmovilidad. Las posibilidades alegóricas de esa síntesis son evidentes, aunque en ocasiones estén enmascaradas por la naturalidad en la presentación del símbolo, por el verismo de la composición:* la piedra —silencio, quietud, eternidad inerte— y el agua —rumor, canción, fugacidad eterna— suelen encuadrarse y oponerse en esa síntesis reveladora para mostrarnos otras cosas o, al menos, como objeto de meditaciones más trascendentes. Lo que destaca en la fuente, en principio, es la

---

* La fuente de Machado es con frecuencia un ente ideal, montado, compuesto por el poeta. Pero ese montaje o composición está hecho con base en una realidad que no es en absoluto exótica, sino tan familiar para el viajero por Castilla y Andalucía como las encinas, los olivos y los naranjos que pueblan los versos del poeta. No hace falta ir a los jardines modernistas para oír su murmullo, aunque también en esos jardines se escuche con generosidad. Así, Machado lo tiene todo a su favor para crear una *ilusión de realidad* que enmascare la función simbólica de la fuente, pretensión que no debe extrañarnos en quien ha expresado, con tanta frecuencia, su horror por lo abstracto. El símbolo de la fuente se presenta en muchas ocasiones oculto o sostenido por una ilusión de realidad que el lector acepta como posible. Pendiente de esa fuente, distraído en la contemplación de los detalles que la hacen verosímil, el lector asimila el significado simbólico sin tener conciencia plena del símbolo. O puede meditar sobre ella —llevado de la mano por el poeta— como si estuviese ante «la cosa misma». Acaso la razón, o una de las razones, que indujeron a Machado a eliminar de *Soledades* el poema titulado «La fuente» sea la descarada función simbólica con que allí aparece, delatada en versos como *el símbolo adoré de piedra y agua*. Pero es necesario advertir que, en muchos casos, *la fuente* machadiana no desempeña, al menos deliberadamente, una función simbólica, sino que es simplemente la noción de una cosa. *(N. del A.)*

diversidad de los contrarios antes que su identidad, intuible de todas formas, a través de una cualidad común: la eternidad.

Reiteración y devenir de las imágenes

La insistencia con que la fuente —bien sea como motivo central o como elemento lateral, decorativo— aparece en los versos de Machado, la convierte en un ejemplo inmejorable, aunque no único, para mostrar la eficacia de la reiteración de tales síntesis de elementos contrarios. Pero esa reiteración, bajo una apariencia de limitación y monotonía, es —en contra de lo que podía esperarse— el resorte que moviliza el mundo machadiano, el origen de su dinamismo y diversidad.

Si tratamos de penetrar bajo las apariencias, lo primero que se observa es la variedad que preside la presentación de esos dos elementos sintetizados —la piedra y el agua—, que a veces el autor opone y enlaza no en la «fuente», sino en el «río». En otros casos, lo que varía es el fondo de la composición en que la fuente se integra: plazas, jardines, patios. Pero la diversificación más eficaz la logra el poeta al superponer a la fuente alguna o algunas de sus otras síntesis favoritas, como «la tarde». La fuente, que «ríe», o «sueña», o «canta», le permite establecer en ocasiones toda una cadena de identidades, apoyándose en una serie de eslabones sutilmente enlazados, prolongados desde la realidad hasta el misterio: «vida» – «recuerdos» – «sueños» – «palabras verdaderas» – «canción»... En cualquier caso, el dinamismo del agua, su función activa, su capacidad de «reflejar», «murmurar» o simplemente «fluir», está siempre presentado en contacto con la piedra inerte, fría, muda.

Voy a detenerme en algunos puntos del devenir de la síntesis «fuente», en los que puede comprobarse la diversidad de funciones activas que cumple el agua en la poesía de Antonio Machado:

En el poema VI:
el «cristal» (agua) ——— «vertía» (melancolía) ——— sobre «mármol».

En el poema XII:
el «agua» ——— «pasaba» ——— bajo (puente de) «piedra».

En el poema XIX:
el «agua» ——— «sueña» ——— en la «piedra».

En el poema XXVI:
el «agua» ——— «suena» ——— en (la fuente de) «mármol».

Con la máxima frecuencia, la síntesis *agua-piedra* se sujeta a esa relación que puede expresarse de manera más abstracta por medio de la siguiente fórmula:

algo (activo) ——— pasa (sueña, canta, etcétera) ——— sobre algo (inerte).

Los dos extremos de la relación pueden ser ocupados, en otras síntesis, por realidades que no

son el agua y la piedra, aunque el término central
—esencialmente dialéctico; *el devenir*— permanece
invariable:

> voy
> YO, el viajero → (soñando, → a lo largo
> del sendero   cantando)
> (XI)

> Una quimera ——— camina ——— por
> montes cárdenos
> (XXXVI)

De esa manera, Machado consigue ensamblar los motivos en un conjunto más vasto, los integra en un entramado coherente, fijo en su estructura y a la vez inestable, diverso en sus efectos merced a la distinta carga expresiva que la palabra traslada de poema a poema. Sobre cada símbolo o síntesis que Machado utiliza, llega a gravitar toda una columna de significaciones creadas dentro de la obra del poeta, que convierten lo que podía haber sido una nota única y repetida en un acorde pleno, complejo, extraordinariamente rico en sugerencias y siempre diferente en sus sucesivas apariciones. Por esa causa, más que por razones fónicas, la poesía de Machado resulta especialmente musical.*

---

* Podría decirse que el conjunto de su poesía se ajusta a la forma «sonata», que no es más que el desarrollo con variaciones de algunos motivos, que reaparecen una y otra vez. Por otro lado, como complemento de ese comportamiento, que podría ser calificado de melódico, y acentuando la musicalidad, está el carácter armónico de sus «signos-acordes», en los que resuenan simultáneamente distintos significados; acordes que se alteran con la inclusión o exclusión de una nota, que pasan de la tónica a la dominante, que *modulan* el conjunto llevando el tema de una a otra tonalidad afectiva. *(N. del A.)*

La musicalidad de Machado, así entendida, exige el conocimiento de toda su obra para percibir con plenitud el significado de cada poema. Leerla fragmentariamente equivale a escuchar compases aislados de una sinfonía. Si hay poetas que ganan con la selección de «sus mejores versos», el lector de Machado necesita conocer todo o casi todo lo que contiene su obra. Apenas sobra algo en ella; con pocas excepciones, todo contribuye a enriquecer las significaciones del conjunto y de sus partes. Y voy a tratar de demostrar esto con un nuevo ejemplo.

Mutación de los símbolos

Machado no siempre ajusta su actitud dialéctica que, repito, es determinante de muchos de los rasgos estilísticos que le son propios, al esquema lineal que va de la afirmación a la negación. Al menos, no siempre tiene lugar ese proceso dentro de un solo poema, sino que requiere apoyarse en otros puntos del ámbito más amplio de su obra. Para no perderme en abstracciones, voy a detenerme en un momento del desarrollo al que somete una síntesis ya considerada: «La fuente»; imagen o tema, que él presenta y representa a través de sutiles desplazamientos «melódicos», y que acaba fundiéndose con otros motivos en una especie de acorde resonante y complejo. En ese desarrollo, las variaciones no desfiguran la identidad individual de los componentes básicos de la síntesis «fuente»; el agua es *vida*, o algo que indica vida: *movimiento, sueño, rumor, canción, reflejo;* y la «piedra» sigue siendo *eternidad inerte, pasividad, opacidad, silencio.* Sin embargo, en un momento determinado, Machado niega lo que afirma a lo largo de toda su obra, atribuyendo a los componentes del tema signos opuestos, invirtiendo sus valores habituales. A la fuente machadiana le llega a suceder eso en el famoso y breve, misterioso y nítido poema XXXII:

> *Las ascuas de un crepúsculo morado*
> *detrás del negro cipresal humean...*
> *En la glorieta en sombra está la fuente*
> *con su alado y desnudo amor de* piedra,
> que sueña *mudo. En la marmórea taza*
> reposa el agua muerta.

En este poema, como he dejado subrayado, «la piedra» (el amor de piedra) es el término humanizado, animado: *sueña*. En cambio, «el agua» desempeña el papel inerte que le correspondería a la piedra: *reposa muerta*. Se mantiene constante la «relación de contrarios»; al invertir el valor de uno de ellos, el otro sufre paralela inversión.

Cualquier conocedor de la obra de Machado tendrá que acusar, consciente o inconscientemente, el desequilibrio que esa inversión de valores produce. En la columna o acorde de significaciones que descansan sobre los componentes —«agua» y «piedra»— de la síntesis «fuente», o sea (para decirlo con la ya inevitable jerga de los especialistas) en el plano paradigmático o asociativo, chocan ahora el signo positivo y el negativo, desencadenando una especie de circuito eléctrico. El contacto o enfrentamiento de los dos polos genera la corriente, y se produce el fluido o la expansión de las en principio limitadas sustancias poéticas, a las que ya es imposible reducir o paralizar. Si «piedra» y «agua» venían a ser en la síntesis «fuente» elementos, aunque unidos, portadores de significaciones diferenciadas e inequívocas, en ese momento, aún conservando su heterogeneidad, adquieren una identidad inesperada. Dicho de otro modo: los contrarios han perdido su propia identidad, han sufrido una mutación que los hace prácticamente idénticos. Lo «mismo», es lo «opuesto»; muerte y vida son ya una única cosa: piedra o agua, da igual.*

Empezamos a comprender cómo, de qué manera, a través del proceso dialéctico del devenir, por medio de un juego de afirmaciones y negaciones, de oposiciones e identidades, las escasas y persistentes sustancias poéticas que nutren el mundo machadiano consiguen ofrecer un panorama cambiante, diverso, misterioso. Como Calder —artista tan distinto a él en espíritu e intenciones— Machado es un creador de estructuras móviles, extrañamente sensibles a la menor variación que se introduzca en el ambiente-contexto. Lo que un poema de Machado parezca o resulte, dependerá en buena medida de la memoria del lector o del orden de la lectura. Los malentendidos a los que la obra de Machado ha dado lugar proceden de ese amplio margen de indeterminación: algunos lectores han visto en ella sólo lo

* No es fácil prosificar los símbolos de Machado. «Piedra» y «agua» no representan tan rigurosamente «muerte» y «vida». El plano alegórico de la fuente es más vago, señala a puntos indeterminados, aunque próximos a un centro que, de manera un tanto imprecisa, podría definirse como la fragilidad e inconsistencia del destino humano o del sueño del hombre, frente a la impermeabilidad del tiempo abstracto, de la eternidad. En cualquier caso, esa relación se matiza de un modo muy peculiar en el poema XXXII, al invertir la función de los signos que habitualmente la expresan. *(N. del A.)*

que querían ver —y estaba—, en tanto que otros, de peor fe, han negado lo que, a pesar de estar, no les interesaba ver.

Destrucción del símbolo, reconstrucción de la palabra

Llegamos finalmente a la identidad más sorprendente y admirable que Machado establece: la identidad entre lenguaje denotativo y expresión *inefable,* que puede ilustrarse con el mismo poema XXXII. En este poema, Machado, gracias en primer lugar a lo que podríamos llamar el verismo y la objetividad de la composición, a la ausencia de reflexiones personales o de referencias a un plano alegórico —tan frecuentes en otros textos suyos igualmente centrados en la imagen de la fuente— y apoyándose incluso en la transparencia del lenguaje, aleja del ánimo del lector la sospecha de una intención simbolizadora. Pero aún llega más lejos en esa dirección. Al negar los valores habituales de elementos normalmente alegóricos —precisamente los valores que con más constancia contribuyen a configurarlos como símbolos— no sólo produce un desequilibrio que hace vacilar la estabilidad de las sustancias en las que apoya su discurso poético, sino que rompe, destruye también los símbolos, les devuelve su primitiva condición de palabras. Invirtiendo el proceso de la «alquimia simbolista» —cuya prolongación no podía menos de desembocar en otro y más grave desgaste de los signos—, Machado logra que *las palabras de la tribu* recuperen todo su

perdido vigor, reencuentren su directa capacidad denotativa, vengan a ser —como pretendía Juan Ramón Jiménez— «la cosa misma». La realidad nom-
brada —no importa que sea una mentira— aparece
otra vez rectamente designada. Las palabras del poema re-presentan, vuelven a presentar algo inconfundible, regresan desde el símbolo a la denotación,
aunque expongan a la vez, indirectamente —con más
levedad, con más vaguedad y misterio— lo que antes simbolizaban.

Denotar, simbolizar, connotar

Creo que es conveniente establecer fronteras
que separen el comportamiento *simbólico* de las palabras de su comportamiento *connotativo,* operación
que los teóricos de la literatura no suelen abordar,
quizá porque los lingüistas tienden a definir ambas
funciones en virtud de su oposición a la denotación,
dejándolas así alineadas en un mismo frente semántico, nebulosamente semejantes en base a lo que no
son o no realizan. Una de las muchas posibilidades
de establecer un convincente contraste (y la consiguiente diferenciación) entre símbolos y signos con-
notativos, la ofrecen algunas de las tesis —no lin-
güísticas— expuestas por Roland Barthes en sus
Elementos de semiología. Se alude allí al fenómeno según el cual el uso de algunas cosas cotidianas —las
ropas, por ejemplo— utilizadas en principio con fines prácticos, acaba adquiriendo un especial valor de
«signo social». Una vez constituidos como tales signos, la sociedad puede refuncionalizarlos y consi-

derarlos de nuevo como usos utilitarios: un abrigo de visón, por ejemplo, puede ser tratado como si sólo sirviese para protección del frío. En resumen, «la cosa» que había llegado a ser «signo» vuelve a ser «cosa». Cuando se produce ese proceso de ida y vuelta, esa «refuncionalización», no debe hablarse ya de la *significación social* de los usos, sino de *connotación*.

Trasladar el agudo planteamiento de Barthes al plano estilístico es sencillo: basta con sustituir en ese esquema *uso práctico* por *palabra denotativa*, y *signo social* por *símbolo* (y tal vez *sociedad* por *poeta*). El símbolo sería así la expresión denotativa que llega a adquirir un especial valor, que es la causa aparente y fundamental de su uso en un poema determinado. El concepto de connotación no sufre modificaciones, y quedaría situado en una posición independiente, alejado por igual de la función meramente denotativa y de la simbólica. La connotación no interfiere la operatividad denotativa de la palabra, que la recupera plenamente. Sin embargo, la palabra no llegará a ser nunca la misma, pues conserva inevitables resonancias de su significación simbólica.

La poesía de Machado proporciona un buen campo de experimentación para comprobar la viabilidad y utilidad de las ideas de Barthes en los dominios de la crítica literaria. Porque Machado, considerado justamente como un gran constructor de símbolos, se ha aplicado —como dije— con el mismo esmero y con la misma sutileza a la tarea de destruirlos. El «ciprés» es un ejemplo —entre los muchos que podrían ponerse— más simple que la fuente, y en consecuencia más cómodo para reducir a fórmula la operación «constructora-destructora» de Machado, y ver mejor los efectos de ese proceso también dialéctico mediante el cual el poeta «asciende» las palabras a la categoría de «símbolos», y desciende los símbolos al nivel de «palabras».

En el siguiente esquema escribo (ciprés) cuando me refiero a ese término como signo denotativo; (CIPRÉS) cuando está utilizado como símbolo; y *(ciprés)* cuando aparece refuncionalizado, cuando recobra su valor denotativo. Así, nos encontramos con que en su origen, en la acepción primera del diccionario

ciprés: denota ——— especie de árbol.

En «Los sueños dialogados», la palabra está utilizada por Machado con evidente intención simbólica: «El muro blanco y el CIPRÉS erguido»:

CIPRÉS: simboliza, expone ——— cementerio, muerte, tristeza.

Pero en el ya comentado poema XXXII aparece como un elemento del paisaje; el poeta se limita a nombrar una realidad, un punto de referencia para situar el «crepúsculo morado» (detrás del «negro cipresal»). Ahí

ciprés: denota ——— ciprés; connota ———
CIPRÉS (insinúa ——— tristeza, muerte, cementerio...).

Me parece que ese esquema, aunque arbitrario en sus detalles, refleja que las significaciones connotativas, adheridas a palabras que mantienen con todo rigor su inequívoca capacidad denotativa, deben recorrer, para aflorar en la expresión, un camino más largo y tortuoso, llegan desde más lejos por esa vía que por la simbólica. Y pienso que ahí está, en no pequeña medida, el principal misterio de la poesía de Machado, gran parte de su originalidad. Es mucho más inasible, mucho más vago, mucho menos explicable, en principio, el halo de significaciones que desprenden esos símbolos «venidos a menos», reconvertidos en signos denotativos, reducidos ahora a su función directamente referencial, desde la que, sin embargo, siguen transmitiendo, connotando de forma incierta la irradiación que en el símbolo es más próxima y, por tanto, menos sorprendente, más obvia.

Probablemente, una posible y luminosa forma de aproximarse a las zonas más evanescentes de la poesía de Machado sería el estudio exhaustivo de ese a veces casi imperceptible tránsito de las palabras desde el símbolo al signo denotativo. La abrumadora reiteración de algunas de las nociones que el poeta maneja hace que tal procedimiento resulte especialmente significativo y eficaz en su obra, y llegue a ser un rasgo caracterizador de su estilo. El «río» es especialmente objeto de esa doble utilización de la palabra por parte de Machado. En el poema XIII, por ejemplo, se lee la siguiente estrofa:

Apenas desamarrada
la pobre barca, viajero, del árbol de la ribera,
se canta: no somos nada.
Donde acaba el pobre río, la inmensa mar nos espera.

Evidentemente, la expresión «río» cumple ahí una función simbólica, señala la brevedad e insigni-

ficancia de la vida humana comparada con la magnitud de ¿la eternidad?, o condenada a disolverse en
la nada. El lector no tiene ninguna dificultad en interpretar el viejo símbolo —lo primero, casi lo único
que advierte— tan arraigado en la tradición lírica
española y universal. En cambio el lector, acertada-
mente, no percibe símbolo alguno cuando encuentra la palabra «río» en el poema XI:

> *Suena el viento*
> *en los álamos del río.*

Sin embargo, la palabra «río» no se lee en esos
versos lo mismo que en un tratado de geografía.
A pesar del marco alegórico más amplio en que tales versos vienen incluidos, la palabra «río» designa,
ante todo, *a un río,* y además transmite inquietantes
sugerencias que proceden del recuerdo del símbolo.

«Ciprés», «río», son términos que entran en
la poesía de Machado con una carga simbólica propia, codificada. En el caso del ciprés, ya lexicalizada,
pues en el habla cotidiana se emplea sin ambigüedad para nombrar a una persona triste o aburrida.
Pero otras palabras o nociones llegan a configurarse
como símbolos, o a participar de la naturaleza de ciertos símbolos, merced exclusivamente al uso que el
poeta hace de ellas. Recordemos esta estrofa del poema I («El viajero»):

> *Él ha visto las hojas otoñales,*
> *amarillas, rodar, las olorosas*
> *ramas del eucalipto, los rosales*
> *que enseñan otra vez sus blancas rosas.*

Todo es simbólico en la estrofa que, siguiendo un esquema también tradicional, remite sin equívocos a los efectos modificadores del paso del tiempo. «Las olorosas ramas del eucalipto» son la aportación o la variante personal que el poeta introduce en un símbolo cuyos restantes elementos son bien conocidos. Esas mismas ramas reaparecen en el poema LXXXI, «A un viejo y distinguido señor»:

> Yo te he visto, aspirando distraído
> con el aliento que la tierra exhala
> —hoy, tibia tarde en que las mustias hojas
> húmedo viento arranca—,
> del eucalipto verde
> el frescor de las hojas perfumadas.

Aquí, en cambio, la expresión señala denotativamente a la cosa designada. Y, no obstante, de nuevo el recuerdo del símbolo opera en la sensibilidad del lector. Para facilitar el recuerdo, algunos de los componentes que acompañaban a «las olorosas ramas del eucalipto» en el poema I, aparecen también en la proximidad de «las hojas perfumadas del eucalipto» en el poema LXXXI: «Él ha visto» (I), «yo te he visto» (LXXXI): «hojas otoñales, / amarillas rodar (I); mustias hojas / (que) húmedo viento arranca» (LXXXI). El contexto orienta certeramente a la memoria.

Connotación y símbolo disémico

Corresponde a Carlos Bousoño el mérito de haber descrito antes que nadie tales fenómenos

en la poesía de Antonio Machado; pero hablar de
«símbolos disémicos», como hace en su *Teoría de la
expresión poética,* no me parece que ayude a interpre-
tarlos correctamente. En primer lugar, la palabra
«símbolo» es un tanto imprecisa, suele designar
realidades muy amplias. En un sentido, se dice que
todas las palabras son símbolos; en otro, que todos
los tropos son símbolos. En cualquiera de las dos acep-
ciones se ha abusado tanto del término, que llega a
ser casi inutilizable si se quieren evitar las generali-
dades. Tampoco los teóricos están muy de acuerdo
a la hora de definir su naturaleza. Para Bousoño la
significación del símbolo es siempre irracional, con
lo que niega de una manera un tanto ambigua lo
que otros autores ven en él: su carácter de signo en
algún modo icónico, que recoge cierto tipo de relaciones de semejanza o contigüidad, nunca arbi-
trarias, que lo justifican y lo hacen universalmente
comprensible.

Del análisis y de la terminología de Bousoño
se deduce, por tanto, que el lenguaje de Machado es
primordialmente simbólico e irracional. Yo pienso,
por el contrario, que la palabra poética de Machado
no es siempre así; creo que en algunos de los ejemplos dados (y en muchos más que podrían ofrecerse)
se caracteriza por su precisión denotativa, cualidad a
la que debe su sobrecarga significativa, tan frecuentemente calificada de «misteriosa». No es, como afirma Bousoño, que, en el poema XXXII de *Soledades,*
además de la significación irracional haya otra racional, sino al revés; aquí, el orden de factores altera el
producto, y lo justo es decir, respetando una priori-
dad enumerativa que corresponde a una jerarquía de
valores, que además de la significación denotativa

(racional en la terminología de Bousoño) hay otra ¿irracional? También considero dudosa la oportunidad del adjetivo. Tan razonable me parece que el término «ciprés» (y «crepúsculo», y «ascuas», y «negro», y «morado» y «marmóreo») sugiera sentimientos de pesadumbre y fúnebres premoniciones, como que la palabra «castañuela» evoque sentimientos de alegría. En contraste con el signo denotativo, que por su arbitrariedad merecería, en su esencia, el calificativo de ilógico o irracional, las significaciones connotativas que la palabra acaba adquiriendo —y no son otras las que Machado actualiza en su uso— están basadas en procesos lógicamente explicables.

Como argumento final en favor de lo dicho, quiero recordar que el símbolo suele debilitar el significado habitual de las palabras, hasta llegar incluso a vaciarlas de su sentido denotativo, que puede ser un serio impedimento para su interpretación; no así la connotación, que deja intactas a las significaciones denotativas, aunque erija sobre ellas la información indirecta que evoca. En resumen, me parece que todo lo que no sea llamar a las cosas por su nombre es, en cierta medida, falsearlas, y que el exceso de significación de algunos poemas machadianos sólo puede explicarse satisfactoriamente con una palabra: *connotación*.

Ese término destaca (o al menos respeta) un hecho ya indicado: que la intensidad sugeridora de la poesía de Antonio Machado (de parte de ella) depende de su precisión referencial, de su capacidad para representar nítidamente el objeto nombrado, para realizar el deseo expuesto por Juan Ramón Jiménez: «Que mi palabra sea la cosa misma». La fe juanramoniana en la eficacia lírica de las cosas parece compartirlas Jean Cohen, quien considera «perfectamente posible la tentativa de una poética general que busque los rasgos comunes a todos los objetos, artísticos o naturales, capaces de provocar la emoción poética» *(Estructura del lenguaje poético)*. Los movimientos anímicos que ciertos poemas de Machado actualizan se deben a que muchas de las realidades que nombran merecerían estar incluidas en esa hipotética relación de objetos poéticos propuesta por Cohen, objetos realmente existentes, aunque la emoción que de ellos se desprende no irradie tanto de sí mismos como de su continuado uso artístico, de su conversión en *topos* literarios, entendiendo esa palabra tal y como la define Juan Ferraté: «Esquema idéntico de pensamiento o de expresión con que se interpreta un motivo dado en obras distintas» *(Dinámica de la poesía)*. Las realidades sobre las que el arte insiste acaban por aparecer, ante nuestros ojos, recubiertas por la pátina de las interpretaciones ajenas, indeleblemente marcadas por la sensibilidad de los demás. Así, el rumor real de una fuente en una situación determinada, o una puesta de sol en un parque solitario con estatua, estanque y cipreses, pueden evocar en nosotros inquietudes muy semejantes a las producidas por un poema de Machado. Tales efectos son posibles porque la naturaleza se obstina en imitar al arte; en consecuencia, a algunos artistas extraordinariamente habilidosos en el manejo de las técnicas llamadas «realistas» les basta con invertir el proceso, con designar sabiamente a la naturaleza, para reactivar en el lector toda una (en apariencia mágica) serie de latentes actividades sentimentales. Por esa razón creo (otra vez en contra de la opinión de Bousoño) en la posibilidad de una poesía puramente enunciativa. En esa poesía, las palabras serán símbolos de sí mismas, pasando por las cosas designadas; es decir, las palabras serán símbolos de las cosas, y las cosas símbolos de otras (o las mismas) palabras.

Quizá por eso, en Machado todo nos parece «arte de magia». La expresión «realismo mágico», de la que se ha abusado tanto en estos años, vuelve a cobrar un sentido claro si se aplica a su poesía.

Originalidad de Antonio Machado

Hay un proverbio (o cantar) de Machado que ha servido de punto de partida para demostrar, con toda justicia, el carácter simbólico de su poesía:

Da doble luz a tu verso
para leído de frente
y al sesgo.

Pero ¿por qué no darle también alguna vez doble luz a la interpretación de esos pocos versos, iluminados siempre hasta ahora desde un ángulo que deja en la sombra esa lectura «de frente» que el poema plantea? Tratándose de un poeta que vivió en una época en la que (opinión suya) «se llegó a la conclusión bárbara —tan acreditada en nuestros días— que prohíbe a la lírica todo empleo lógico, conceptual de la palabra», lo que conviene destacar, lo que le confiere verdadera originalidad a su trabajo, es esa lectura «de frente» tantas veces posible en su obra, y tan pocas en la de sus grandes contemporáneos. Entendámonos, es la suya una rara, difícil escritura «de frente» que admite lecturas «al sesgo», mientras que la que en su tiempo predominaba era la escritura «al sesgo» que excluye la lectura de frente.

A mí me parece bastante claro que, vista en su contexto, la originalidad de Antonio Machado está en el lado de su personalidad que corresponde al destructor de símbolos, lado que necesita, naturalmente, del opuesto, sin el cual no tendría razón, ni siquiera posibilidades de ser. Es esa actitud *negativa*, en el sentido dialéctico del término, la que le permite obtener la última, básica y ya señalada identidad de contrarios: la identidad entre el signo denotativo —o palabra «ordinaria», como gustan de calificarla algunos— y la llamada «expresión inefable».

Lo que hay en él de original y de ejemplar en ese sentido no fue apreciado en su tiempo, cuando los poetas se esforzaban en agotar las posibilidades abiertas por el simbolismo e intentaban crear ante todo un mundo ideal, imaginativo, autónomo frente a la realidad, en el que la capacidad denotativa de la palabra era una impureza, un estorbo. Para conseguir la meta de lo inefable, los poetas se internaron en el «bosque de símbolos» del que hablaba Baudelaire, bosque en el que no pocos espíritus mal orientados se perdieron. Otros pensaron que destruyendo el lenguaje, privándolo de su mecanismo lógico y de su función denotativa, «lo inefable» se produciría por añadidura. El experimento fue apasionante y tiene un nombre: arte de vanguardia. Pero prolongarlo más de lo debido conduciría —como ha sucedido— a la desafortunada identidad entre «confusión» y «misterio», entre oscuridad e inefabilidad.

Machado emprendió un camino diferente, por el que no iba a coincidir nunca con los poetas de su tiempo: desanduvo parte de lo andado, avanzó retrocediendo, taló símbolos del bosque, y encontró en la claridad —o al menos en la discreta luz del atardecer— lo que otros buscaban con tanto afán en las tinieblas. Ahora podemos darnos cuenta de que si hay un poeta de lo inefable en la literatura española moderna, ése es —contra lo que esperaban sus contemporáneos— Antonio Machado. Paradójico, pero exacto, según el caso que Machado ilustra: quien no pretende ser original en una época en la que la búsqueda de la originalidad llega a convertirse en la gran vulgaridad colectiva, es quien puede acabar siendo de verdad original.

Los poetas de la generación del 36, que tuvieron el mérito de volver los ojos al olvidado maestro, no supieron ver (al menos en sus principios) su lado positivo, que entonces parecía —cosas de la dialéctica, otra vez— el negativo: su lado de destructor de la palabra simbólica. El *miedo a nombrar* mallarmeano todavía gravitaba sobre algunos espíritus con efectos paralizantes. Tampoco entendieron que se trataba de un poeta epigonal, punto final y admirable de una tradición ya en sus días desfasada, de prolongación difícil. Por otra parte, se trataba de una generación —como señaló Cernuda— conservadora, demasiado conservadora para explorar las posibilidades de ruptura que ambiguamente, irónicamente, insinuaban los versos y las prosas de Martín y Mairena. Los poetas del 36, algunos extraordinariamente dotados, vieron en Machado al constructor de símbolos tan claros como el agua, y se aplicaron concienzudamente a continuar, sólo en ese sentido, su tarea. Quizá no fuese ésa la solución, sino la otra. Algunos, los mejores, acabaron comprendiéndolo. Pero la influencia de Machado en las obras iniciales de la generación derivó en una poesía —¡quién lo diría!— abstracta, mucho más desrealizada que la de los poetas puros o vanguardistas de los que pretendían distanciarse. Una poesía elaborada sobre la base de símbolos tan transparentes y gastados que no señalaban a ninguna realidad, ni se percibían siquiera como tales símbolos. Cuando los poetas de la generación de 1936 escribían —para citar una de sus palabras favoritas— «abril», queriendo simbolizar tantas cosas, no eran más eficaces que el cronista de sociedad que habla en su gacetilla de «los maravillosos *quince abriles* de la hija de los generosos anfitriones». En contraste, cuando Machado dice «abril» se llenan sus versos de sol y de lluvia, de primavera verdadera, de «diminutas margaritas blancas».

Lección en gran parte perdida, pues, la de Antonio Machado, un poeta que acabó teniendo admiradores y que influyó tarde o mal en sus pretendidos continuadores, más propensos, en general, al plagio inútil o grotesco que a la búsqueda de estímulos en sus actitudes de ruptura u oposición respecto a su contexto. En la posguerra, mientras unos tomaban el rábano por las hojas... de las encinas, otros —los social-realistas— consideraron ante todo, y demasiado unilateralmente, su ejemplo humano y sus preocupaciones civiles, tan inequívocas y expresivas de puntos de vista que sentían muy próximos; no se trataba *sólo* de eso, tampoco, aunque *eso* fuese en aquellos días, y todavía hoy, muy importante.

Prosificación de un poema

Acaso la gran lección de Machado, esa gran lección que él explicó tantas veces y acerca de tantas cosas en prosa, en vida y en verso, no produzca nunca resultados comparables a los que obtuvo el maestro. Porque la poesía es algo más que un problema de forma, y no se resuelve en ningún caso con fórmulas: no hay que olvidar esa «honda palpitación de espíritu» de la que el gran poeta hablaba. Claro está que ese «latido espiritual» no es nada sin la forma que lo expresa. Pero el hecho de que *se perciba* en la forma, y *se constituya como parte* inseparable de ella, lleva el fenómeno de la creación poética, el acto de la escritura, al terreno de lo personal y rigurosamente intransferible. Quizá, en consecuencia, sea necesaria la precisión de su mano, y la *palpitación del espíritu* que la movía, para trazar versos tan misteriosos y tan nítidos como algunos de los suyos. Hay un Machado sin duda muy profundo, que plantea a la razón enigmas difíciles de resolver: no es ese poeta difícil el que me parece misterioso. El Machado más misterioso, el más ambiguo e inasible, es el que puede leerse en sus versos más claros, más inefables cuanto más inequívocos y denotativos. Entre esos poemas «inexplicables» está el titulado *A un viejo y distinguido señor* (LXXXI). Leámoslo una vez más.

> *Te he visto, por el parque ceniciento*
> *que los poetas aman*
> *para llorar, como una noble sombra*
> *vagar, envuelto en tu levita larga.*

El talante cortés, ha tantos años
compuesto de una fiesta en la antesala,
¡qué bien tus pobres huesos
ceremoniosos guardan!

Yo te he visto, aspirando distraído,
con el aliento que la tierra exhala
—hoy, tibia tarde en que las mustias hojas
húmedo viento arranca—,
del eucalipto verde
el frescor de las hojas perfumadas.
Y te he visto llevar la seca mano
a la perla que brilla en tu corbata.

Parece que la palabra de Machado se muestra en esta oportunidad en su más precisa función denotativa: hay en ella poco lugar para los equívocos. Nos cuenta una historia; describe una escena, *pinta* un «paisaje con figura» que podría titularse «caballero y parque». La escena tiene tal nitidez, que la contemplamos más que la leemos. En efecto, después de la lectura, podemos evocarla (al menos los lectores de mi edad) como si la hubiésemos visto alguna vez, casi estamos a punto de precisar cuándo y dónde... (Yo lo sé: en el Campo de San Francisco, en Oviedo, en torno al año 1930.) O acaso no la vimos nunca: se trata sólo de una escena leída en otros textos. Su protagonista es, sin duda, una de esas «imágenes amigas (que surgen) a la vuelta florida del sendero» (XXII)*, situada esta vez en un parque

---

* Los números romanos indican el poema de Machado del que están literalmente tomadas las frases entrecomilladas. *(N. del A.)*

ceniciento, en una «tarde cenicienta y mustia (destartalada como el alma mía), y es esa vieja angustia» (LXXVII) de los decadentes paisajes otoñales uno de los sentimientos que el poema actualiza. En ese ámbito familiar, el distinguido señor, vestido con «tocados de otros días» (LXXI), vaga como una sombra: «Pasea (...) su traza de alma en pena» (XCIV).

El lenguaje del poema es en general extremadamente natural y preciso, eficaz ante todo en su función referencial. Como contraste, llama la atención una expresión un tanto insólita, por excesivamente literaria: «El parque... que los poetas aman para llorar»; es una frase que connota actitudes románticas, muy entonadas con la «levita larga» y *démodé* del caballero, del mismo modo que el discreto uso del hipérbaton connota un estilo arcaico, igualmente ajustado a la figura descrita. Pero, si prescindimos de esas excepciones, la cualidad dominante de la palabra es la (por supuesto relativa) naturalidad: adjetivos homéricos o definidores, como diría su autor —el eucalipto *verde,* las hojas *frescas y perfumadas,* la levita *larga*—, se mezclan con expresiones más imaginativas, que resultan muy eficaces en su función denotativa y se sienten además como posibles en un nivel conversacional: «parque ceniciento», «vagar como una sombra», «el aliento que la tierra exhala». Ni siquiera percibimos como imagen esa sinécdoque tan coloquial que consiste en reducir la totalidad del cuerpo a una de sus partes: los huesos. La discreción de la rima asonante y la indecisión métrica de la silva contribuyen a disimular el perfil de las estrofas. Las sustancias del poema no pueden ser también menos exóticas y más naturales, igual que los gestos del caballero: aspirar un aroma, llevar distraídamente la mano a la corbata. Estamos ante un lenguaje, en resumen, extremadamente denotativo, un lenguaje para nombrar algo que reconocemos o imaginamos como perteneciente a la realidad; estamos, una vez más, ante la ilusión de *la cosa misma,* a la que vemos como es o como creemos que es, no como belleza, no como símbolo... Pero tampoco como si tal cosa, porque en lecturas sucesivas esa figura nítida comienza a irradiar inesperados e insistentes —aunque imprecisos— mensajes. Ya quedó señalado ese fenómeno; unas palabras del poema «El viajero» nos vienen a la memoria: «Él ha visto... las olorosas ramas del eucalipto». Lo que en aquel poema era parte de un símbolo, reaparece en éste como la mera descripción de un gesto: el caballero aspira «el frescor perfumado de las ramas del eucalipto verde». El recuerdo del símbolo carga de temporalidad ese aroma, y facilita nuevas asociaciones. «El aliento que la tierra exhala» actualiza otros inolvidables versos de Machado. Una débil, pero perceptible resonancia, reactiva lejanas palabras; también reconocemos ese aliento: es «del viento del otoño el tibio aliento» (XCI), acaso «de la honda fosa el blanquecino aliento...» (IV). Tal vez por eso, cuando sorprendemos al caballero en el acto de aspirar un aroma, «algo que es tierra en nuestra carne siente la humedad del jardín como un halago» (XXVIII).

Y las borrosas identidades insinuadas se expanden, se amplían incesantemente. El caballero vaga por un parque, al que se superpone la imagen única y múltiple de todos los parques a los que se asomó el poeta. El dibujo del parque está trazado aquí escuetamente, es más bien un boceto en el que sólo están dados algunos rasgos esenciales. Entre las cosas habituales no enumeradas en esta ocasión, la fuente es la más importante. Quizá el poeta no la haya nombrado por considerarlo innecesario; pero es evidente que la fuente tiene que estar ahí, oculta en cualquier rincón del parque. En todo caso, al notar su ausencia, al echarla de menos, la imagen de la fuente se materializa en la intuición del lector, como iluminada por un rápido destello: sin verla, oímos en alguna parte su murmullo. Y esa perla —lo único duro e incorruptible que presenta el poema— hacia la que va *la seca* —como las hojas— *mano* del personaje, nos hace pensar acaso en el mármol y el recuerdo del mármol renueva el remoto rumor de la fuente, del agua que pasa y sueña...

Así, desde la estricta denotación de un *paisaje con figura,* se eleva de pronto una vaga nube de significaciones y correspondencias que somos incapaces de fijar en ideas concretas, en palabras. La identidad entre lenguaje denotativo y expresión inefable queda de ese modo confirmada. Machado edifica el misterio sobre la realidad (sobre una ilusión de realidad), sin destruir el lenguaje, sin distorsionar apenas su uso, restaurándolo más bien por medio de la negación ocasional de los símbolos que afirma en otras partes, y estableciendo series de remotas e imprecisas relaciones e identidades. Su ambigüedad es sobrecarga de significación, *connotación,* intensificación de la «palabra en el tiempo», es decir, de la *palabra hablada:* nunca destrucción o intento de destrucción de la realidad de la lengua.

Pero volvamos al viejo y distinguido señor. Yo he leído docenas de veces, en situaciones diferentes, ese poema. Creo, al fin, que puedo prosificarlo,

decir en pocas palabras todo lo que el poema sugiere.
Debo reconocer que me costó un gran esfuerzo, pero
lo conseguí. Lo que el poema dice en realidad es esto:

A un viejo y distinguido señor.— Te he
visto, por el parque ceniciento / que los poetas aman / para llorar, como una noble sombra / vagar, envuelto en tu levita larga. / El
talante cortés, ha tantos años / compuesto de
una fiesta en la antesala, / ¡qué bien tus pobres huesos / ceremoniosos guardan! / Yo te
he visto, aspirando distraído / con el aliento
que la tierra exhala / —hoy, tibia tarde en que
las mustias hojas / húmedo viento arranca— /
del eucalipto verde / el frescor de las hojas
perfumadas. / Y te he visto llevar la seca mano / a la perla que brilla en tu corbata.

IV. EL VIAJERO: RETRATO DEL POETA COMO VIEJO FOTÓGRAFO

La gran virtud de la poesía de Antonio Machado consiste en que —para emplear una frase de Pedro Salinas— «hace lo que dice». Su tema central, el devenir de las cosas en el tiempo —o el efecto del devenir del tiempo sobre las cosas—, está expresado por medio de una serie limitada de signos que devienen ellos mismos a lo largo de su obra en verso, modificándose en su transcurrir, combinándose en diferentes proporciones y figuras, y describiendo en su fluencia el mudable estado de la realidad, la condición fugaz de la vida. De las palabras de Machado podría decirse que son *palabras corrientes,* porque tienen las mismas cualidades que el agua de los ríos: son transparentes, fluidas y reiteradas. Su poesía viene a ser, en efecto, como un río en cuyo curso el poeta abandona unos signos que reaparecen una y otra vez, siempre los mismos y siempre diferentes. Como hemos visto, las palabras son a veces *símbolos* que representan de algún modo el devenir, o simples *signos denotativos* que connotan lo que en otras ocasiones simbolizaban; a semejanza de todo lo que flota y fluye, al sucederse muestran y ocultan aspectos diferentes de su ser, podemos contemplar su anverso y su reverso. Así, la poesía de Machado es extraordinariamente eficaz en la expresión de la cualidad cambiante de las cosas humanas, de su perpetua mudanza. Si cada poema es sólo un punto, un fragmento de la cadencia que configura el argumento total que su lírica *canta y cuenta,* cada signo puede ser visto en lo que en ese instante es, recordado en lo que fue, y adivinado incluso en lo que tal vez será. Por eso, los poemas de Antonio Machado dicen más, mucho más de lo que en ellos está escrito, expresan intuiciones que merecen en justicia el calificativo de «inefables».

Por su parte, Machado parece elegir cuidadosamente los signos que pone a navegar en la corriente de su poesía; con frecuencia son signos compuestos que sintetizan dos entidades fuertemente contrastadas e incluso contradictorias: *la fuente* —agua y piedra—, *el iris* —lluvia y sol—, *el crepúsculo* —momento fronterizo entre la noche y el día—, *el recuerdo* de lo ya olvidado —que enlaza la realidad y el sueño—. O superpone sustancias simples, pero opuestas —la luz y la sombra, el silencio y el rumor— que acaban por fundirse en un concepto único hasta conseguir confundirnos a nosotros mismos: la luz ciega y la sombra ilumina, el silencio suena y el rumor engrandece el silencio. Así se logra lo que he llamado «identidad de los contrarios», denominación acaso poco ortodoxa en un plano estrictamente estilístico, pero que me parece suficientemente expresiva de la ambigüedad y la movilidad que las cosas —nuestras nociones de las cosas— llegan a adquirir en la corriente poética en la que están inmersas, merced a la cual se afirman y se niegan, producen los mismos efectos que sus contrarios, resultan prácticamente idénticas a lo que habitualmente se les opone.

Ese proceso dialéctico necesita casi siempre, para producirse, de todo el cauce de la poesía de Antonio Machado, y a lo largo de él consigue su máxima y desconcertante eficacia. Sin embargo, de modo excepcional, a veces un solo poema contiene el desarrollo completo, resuelve en sorprendentes identidades las contradicciones que él mismo plantea.

En ese sentido, *El viajero* es como un modelo a escala reducida que nos permite comprender muchos de los rasgos esenciales que caracterizan la obra en verso de Antonio Machado. El misterio de ese poema, tan claro en apariencia, se debe fundamentalmente a los efectos de los sutiles desplazamientos que el poeta impone a los elementos clave que lo integran; desplazamientos casi imperceptibles, pero capaces de alterar la posición y el significado de las sustancias poéticas hasta el punto de invertirlas o de integrarlas en realidades opuestas. Espero que lo que quiero decir quede más claro en el análisis detallado del poema, cuyo texto reproduzco a continuación.

EL VIAJERO

I   *Está en la sala familiar, sombría,*   1
y entre nosotros, el querido hermano
que en el sueño infantil de un claro día
vimos partir hacia un país lejano.

II   *Hoy tiene ya las sienes plateadas,*   5
un gris mechón sobre la angosta frente,
y la fría inquietud de sus miradas
revela un alma casi toda ausente.

III   *Deshójanse las copas otoñales*
del parque mustio y viejo.   10

La tarde, tras los húmedos cristales,
se pinta, y en el fondo del espejo.

IV   El rostro del hermano se ilumina
suavemente. ¿Floridos desengaños
dorados por la tarde que declina?   15
¿Ansias de vida nueva en nuevos años?

V   ¿Lamentará la juventud perdida?
Lejos quedó —la pobre loba— muerta.
¿La blanca juventud nunca vivida
teme que ha de cantar ante su puerta?   20

VI   ¿Sonríe al sol de oro
de la tierra de un sueño no encontrada,
y ve su nave hender el mar sonoro,
de viento y luz la blanca vela hinchada?

VII   Él ha visto las hojas otoñales,   25
amarillas, rodar, las olorosas
ramas del eucalipto, los rosales
que enseñan otra vez sus blancas rosas...

VIII   Y este dolor que añora o desconfía
el temblor de una lágrima reprime,   30
y un gesto de viril hipocresía
en el semblante pálido se imprime.

IX   Serio retrato en la pared clarea
todavía. Nosotros divagamos.
En la tristeza del hogar golpea   35
el tictac del reloj. Todos callamos.

Lenguaje denotativo y expresión de lo inefable

En un penetrante análisis de *El viajero,* Carlos Bousoño[*] señala la presencia de dos o tres cadenas de símbolos que aluden a «la temporalidad de la existencia», a «la pesadumbre que esa temporalidad produce» y a «la fantasmalidad» de la vida. Creo que esas alusiones configuran la intuición última que el poema transmite, pero su eficacia no procede de la mera presencia de los símbolos, sino —como veremos— del carácter dinámico de sus relaciones, de la energía que los desencadena. Por otra parte, no me parece que pueda hablarse con propiedad de símbolos únicamente; también en el plano de la expresión un tipo de lenguaje —el simbólico— está contrastado con otro muy distinto, estrictamente denotativo. El poema tiene dos partes bien diferenciadas, tanto por *lo que* dice como por *la manera* de decirlo: en una, se describe un grupo familiar, prestando especial atención al escenario; en la otra, se interpreta la expresión del rostro de uno de los personajes que componen dicha escena. La parte descriptiva (estrofas I a III) está dada en palabras que son básicamente eso: descriptivas, que tienen la misión primordial de denotar las cosas a las que se refieren. A través de ellas vemos una sala, un rostro, un parque, que intuimos con realidades concretas. En cambio, cuando la voz del poeta pasa de la descripción a la interpretación de

---

[*] C. Bousoño, *Teoría de la expresión poética,* vol. I, 5.ª ed., págs. 221-225. *(N. del A.)*

lo que contempla (estrofas IV a VII), el lenguaje se carga progresivamente de símbolos: ni el «sol de oro», ni «la nave», ni «el mar», ni «las hojas otoñales» son percibidas ya por el lector como tales realidades, sino como indicadores que remiten *obviamente* a otros conceptos muy distantes. Lo que ocurre es que las palabras descriptivas —«sala sombría», «sienes plateadas», «parque mustio», «tarde»—, aunque no simbolizan, *connotan* el carácter fantasmal de la vida, y por esa vía imprecisa y tortuosa transmiten una vaga e inasible sensación de pesadumbre. Y la connotación es más intensa en la medida en que el lenguaje es más preciso, más fielmente descriptivo; porque «la cosa misma» que las palabras denotan —un hogar sombrío, el crepúsculo, el tictac de un reloj— tiene a veces, en la realidad, semejante poder evocador. Ésa es una de las identidades mágicas —quizá la más admirable— que la poesía de Machado establece, la identidad entre el lenguaje descriptivo o denotativo y la expresión de lo inefable.

El viajero: un serio retrato

Así pues, lo que llama la atención en *El viajero* es, precisamente, la nitidez del lenguaje denotativo, extremadamente directo y justo. En ese sentido, el poema equivale casi a una pintura o, mejor todavía, a uno de esos *daguerrotipos viejos* que con tanta frecuencia aparecen en los versos de Machado. No faltan en el poema elementos que sugieren la idea del daguerrotipo o fotografía en blanco y negro; la ausencia de determinados colores, la inmovilidad de las figuras, y el silencio, insinúan que estamos contemplando la descripción de un retrato, la imagen de una imagen más que la imagen de una realidad viva.

A este respecto, quiero llamar la atención sobre la circunstancia de que, en *El viajero,* el poeta se comporta en un momento determinado como un fotógrafo artístico, como un fotógrafo de estudio, *ilumina* el rostro del hermano (estrofa IV), matizando la luz *suavemente,* igual que haría un buen profesional para no romper la entonación sombría del conjunto, marcada ya desde el primer verso del poema. Para describir ese hecho, el poeta utiliza una forma verbal ambigua: nos dice que el rostro del hermano «se ilumina», indicando una acción que puede ser activa reflexiva —iluminación interior, estado anímico del personaje que repercute sobre su propio rostro—, pero que nada impide interpretar como pasiva refleja: el rostro *es iluminado* desde fuera.

Permítaseme detenerme en el examen de los datos que refuerzan esa impresión fotográfica; en primer lugar, los colores. Advirtamos que los colores más llamativos —amarillo, oro— aparecen en los símbolos de las estrofas IV a VII que exponen no el rostro mismo, sino una meditación ante el rostro del viajero; incluso esos tonos *amarillentos* no entrarían en flagrante conflicto con la idea de daguerrotipo viejo. En cambio, cuando las palabras describen la sala y el grupo familiar, el conjunto está entonado en una gama fría de grises plateados, de manchas sombrías: todo queda en el dominio del claroscuro. Ni siquiera imaginativamente nos es fácil ver los colores que las palabras evitan; en nuestra representación mental, lo que desde fuera de la sala sombría podría herirnos con su colorido —el «parque mustio» y «la tarde» de la estrofa III— más se despinta que se pinta, reflejado «en el fondo del espejo»; la sensación de que estamos ante «la imagen de una imagen» se refuerza.

Fijémonos ahora en la inmovilidad que domina la escena. El presente de indicativo del verbo «estar» y la palabra «hoy» fijan las cosas en el espacio y en el tiempo; el poema es como una instantánea en la que ha quedado detenido un momento perteneciente al pretérito. El texto viene a decir «*está* así *hoy* el rostro del viajero»; pero el lector entiende «*estaba* así, *en un momento del pasado,* tal como lo vemos ahora, al rostro del viajero». Los verbos «partir» y «hender», eminentemente dinámicos, no se refieren a acciones que tomen lugar en esa sala y ese día que el lector contempla, sino a hechos sucedidos en otro lugar y otro tiempo anteriores. El principio de actividad que insinúa el verso 11, «se deshojan» los árboles, está contrarrestado por la lentitud con que habitualmente se cumple la acción de deshojarse. Por otra parte, en su contexto, el verbo tiene casi valor de gerundio, «árboles deshojándose»; más que alterar, califica al sujeto. Y para frenar la lenta actividad otoñal, las copas de los árboles aparecen incluidas en la tarde, que se nos presenta, como ya he dicho, no viva, sino «pintada» —detenida— «tras los húmedos cristales» y «en el fondo del espejo». De la forma verbal «sonríe» —expresión, por otra parte, que es como un breve destello que nos remite a los hábitos de los viejos fotógrafos—, también puede afirmarse que equivale a un gerundio; el viajero está *sonriendo.* Finalmente, es de señalar la presencia de dos verbos que detienen explícitamente el movimiento. En los versos (estrofa VIII) que completan la descripción del rostro del viajero, «el temblor de una lágrima» aparece *reprimido,* y el gesto —«un gesto de viril hipocresía»— *impreso.*

Queda, en último lugar, el silencio: un espeso, sugerente silencio, sólo roto por la voz del poeta, que describe y medita, y por el tictac del reloj, que con su levedad destaca el peso de ese silencio y sugiere la impermeabilidad del tiempo abstracto, exterior a la vida, indiferente al destino de los hombres.

Así, la figura gris, callada y quieta del viajero, envuelta en sombras y rodeada de otros seres borrosos («entre nosotros»), va a fijarse en nuestra imaginación con la inmovilidad de las fotografías. El poema parece autodefinirse cuando nombra el «serio retrato» (estrofa IX) que clarea todavía. Porque eso es *El viajero,* un serio, profundo, grave retrato de grupo, comparable —sin hipérbole— por su atmósfera y por su hondura psicológica a las mejores pinturas de Velázquez: una especie de *Las meninas* en pequeño formato, a escala doméstica, en el que no falta el inquietante espejo de la pared del fondo.

Aunque no son ésas las únicas semejanzas que presentan el cuadro y el poema.

Efectos de la simetría

Es importante la comprensión del poema como retrato para la interpretación que aquí propongo. Porque, en mi opinión, el lector de *El viajero,* sin darse cuenta, llega a cruzar la frontera que separa la doble ficción* de la realidad, y pasa a formar parte del retrato que contempla: el ámbito verbal va a ensancharse hasta dejarlo dentro de sus límites. Es el suyo un tránsito obligado; las palabras lo implican sin dejar otra opción. Acaso no sea consciente de ese hecho, que se produce al margen de su voluntad. Pero lo importante es que el hecho se produce efectivamente; lo sepa o no, el lector acabará realmente allí, en el fondo de «la sala familiar sombría». Y esa inesperada situación lo afectará de alguna manera.

La estructura estrófica del poema, rigurosamente simétrica, colabora en no pequeña medida a que las cosas sucedan de ese modo. La composición consta de nueve estrofas, que pueden dividirse en tres grupos de tres. El eje de la simetría, marcadamente diferenciado del resto del texto por una extraordinaria acumulación de frases interrogativas, está formado por las estrofas IV, V y VI. En torno a ellas se distribuyen las seis restantes de acuerdo con un orden cuidadosamente establecido: la I se corresponde con la IX en sus referencias a las personas que protagonizan el poema y al lugar donde se encuentran, la sala; la II se prolonga en la VIII, que completa la descripción del rostro del viajero; y la III y la VII se identifican en sus alusiones botánicas.

---

* Califico a la ficción de *doble* porque, como dije, el poema configura la imagen de una imagen: en la lectura que yo propongo, la referencia central del poema no es una realidad, sino una fotografía de la realidad. Lo mismo que en *Las meninas* los reyes no aparecen directamente en el cuadro, sino en un espejo que está en el cuadro, así el lector de *El viajero* no se verá a sí mismo en el poema, sino en la fotografía que el poema *revela*, término muy oportuno por sus connotaciones fotográficas, que Machado también utiliza en la estrofa II. *(N. del A.)*

Y a esa simetría posicional se superpone lo que podríamos llamar «simetría funcional». El poema presenta primero (estrofa II) los rasgos físicos del rostro: «sienes plateadas», «angosta frente», «mirada fría»; ellos son el punto de partida que justifica las hipótesis contenidas en las frases interrogativas de las estrofas IV, V y VI: ¿«desengaños»?, ¿«ansias»?, ¿«temores»?, ¿«sueños»? Inversamente, cuando el rostro reaparezca (estrofa VIII) será presentado exclusivamente a la luz de esa meditación; su descripción no es una simple prolongación de los datos que la estrofa II suministra, sino que se deduce a partir de «este dolor» (estrofa VIII) que resume todo lo meditado y explica la *lágrima reprimida* y el *gesto hipócrita impreso*: la distribución correlativa de las sustancias poéticas se refuerza con la conducta del poeta, que se separa del eje de la simetría deteniéndose, en orden inverso, en los mismos puntos de apoyo que lo llevaron hasta él.

Engañado por ese impulso de retroceso, no es extraño que el lector, al llegar al final del poema, crea encontrarse en el punto de partida. Sin embargo, de acuerdo con las leyes de la simetría, estará en un lugar opuesto por el diámetro y en una posición inversamente igual a la primera.

Oposiciones e identidades

Respecto a los efectos de la simetría, ya sé que las leyes físico-matemáticas no tienen que cumplirse necesariamente en el poema, sujeto a normas que le son propias; es el poeta el encargado de hacer que se cumplan. Y Machado lo consigue. La estructura de

El viajero no hace más que encauzar adecuadamente el proceso de inversión de las sustancias poéticas, que se logra por otros procedimientos. Fundamentalmente, por medio del contraste y la aproximación de signos opuestos que acaban intercambiando su posición o sus funciones.

Aunque pasaré por alto muchos de ellos, voy a señalar, a manera de ejemplo, algunos de los contrastes que plantea la estrofa I, contrastes entre presente y pasado, entre luz y sombra. Aspectos expresivos formales intensifican la operatividad de las oposiciones y desplazamientos que se producen en el plano del contenido: la rima que aproxima la («sala) sombría» al «claro día» deslumbra y ciega. Otra vez los signos de Machado operan como si fuesen «la cosa misma». Igual que cuando salimos de un recinto en sombra a un espacio soleado sentimos con más fuerza los efectos de la luz, así en el poema la oscuridad de la sala hace más luminoso el «claro día» —el pasado, tan irreal que participa de la naturaleza del sueño—, y al revés, la claridad exterior oscurece la «sala» —el presente—, al borde también de la irrealidad por las connotaciones de la palabra «sombría», que sugiere *ausencia de perfiles, materia borrosa*.

Como puede apreciarse en estos ejemplos, el texto está plagado de correspondencias e identidades entre elementos contrarios. Todo acaba siendo lo uno y lo mismo. El presente y el pasado se funden en semejante imprecisión, y se van a identificar más estrechamente en el «hoy» del verso 5, que es un «hoy» rescatado del ayer, que pertenece al pretérito, aunque esté evocado en presente de indicativo. En el plano de la expresión, el lenguaje simbólico está enfrentado a un lenguaje estrictamente denotativo, cuya energía connotadora lo equipara a los símbolos en capacidad de sugerencia. Y en el plano del contenido, el autor que deviene personaje se corresponderá con el espectador que se convierte en espectáculo.

Entre tanta subversión, los atributos de las cosas sugieren insistentemente su cualidad fantasmal. Si el poema equivale al retrato de un grupo, lo que el retrato nos muestra es una galería de fantasmas. Son tantos los signos que apuntan una realidad desvanecida, que su análisis detallado haría interminable este comentario. Sólo quiero detenerme ahora en la extraordinaria y fundamental transformación del lector que deviene lectura.

Proceso del lector que deviene lectura

Además de los contrastes ya señalados, la primera estrofa de *El viajero* establece ciertas subdivisiones dentro del grupo humano que presenta. El «querido hermano» se destaca inmediatamente del conjunto que la palabra «nosotros» nombra. Como es sabido, Antonio Machado quiso superar el subjetivismo de estirpe romántica pasando de la primera persona del singular a un colectivo «nosotros» que ensancha el sentimiento del poeta y lo hace más compartible. Sin embargo, el pronombre «nosotros» cumple aquí una función restrictiva, expulsa directamente al viajero de su ámbito semántico (e indirectamente, y en principio, también al lector).

Por otra parte, ese «nosotros» no denota un grupo indiferenciado y amorfo; puede reducirse todavía, al menos, a dos componentes: el narrador, o personaje que habla en el poema, y alguien más. En consecuencia, los elementos que integran el «nosotros» podrían representarse en una fórmula en la que:

«nosotros» = narrador + otro(s)

El lector, en cambio, se ve enfrentado a un grupo más amplio, compuesto por «todos ellos»:

«ellos» = el viajero + narrador + otro(s)

Así pues, en el espacio que el poema delimita —la «sala familiar»—, los seres que lo pueblan tienen facciones concretas o carácter definido (conocemos el rostro de «el viajero», oímos la voz de «el narrador»), excepto ese borroso «otro(s)», cuya vaguedad es un estímulo para la imaginación: empujado por la voz del narrador hacia esa forma oscura, es allí donde el lector acabará encontrándose a sí mismo. En la estrofa IV, «el rostro del hermano se ilumina suavemente»; las palabras *enfocan* materialmente al viajero, resaltan su imagen y hacen aún más borrosos sus alrededores. Preparado de esa manera el escenario, el misterioso iluminador, siempre desde la sombra —sólo lo reconocemos por su voz— se dispone a reflexionar acerca del rostro, imponiendo su meditación al lector. Y es en ese momento cuando comienza a insinuarse la extraña identidad. La luz individualiza aún más al «viajero» respecto al «nosotros» del poema, lo *destaca,* lo separa del grupo; y casi simultáneamente, el lector, vinculado al narrador por medio de la meditación compartida, se aproxima a la zona sombría del «nosotros». El narrador y el lector meditan juntos; el lector, inconscientemente, comienza a participar de la borrosa naturaleza de «ellos».

Esa insinuada identidad la dejará el poeta firmemente establecida, con mano maestra, en la última estrofa. Porque la actividad del lector va a coincidir exactamente, en los versos finales, con la voz y los actos del misterioso ser que habla en el poema. «Nosotros divagamos», dice el narrador. Y el lector puede entender (la ambigüedad de la forma verbal —¿presente o pretérito?— lo permite) «nosotros hemos divagado». Tal es justamente su experiencia; hasta el momento, guiado por la voz del narrador, ha divagado acerca de un rostro. Y sigue leyendo, obedeciendo órdenes, imitando gestos ajenos, duplicándolos. Tras una pausa llena de asombro y de vacío —sólo se oye el tictac del reloj—, dos palabras finales: «Todos callamos», lo sincronizan definitivamente con *la voz*. Porque esas palabras dicen también que el poema —la lectura— ha terminado. Narrador y lector se comportan del mismo modo, comparten el mismo silencio. El proceso culmina ahí. El lector forma ya parte del «nosotros todos» inevitable, creciente, integrador, en el que le sumen las palabras; el «nosotros» que contemplaba y al que se enfrentaba en la primera estrofa tiene ahora una composición diferente:

«nosotros» = narrador + *lector* + otro(s)

De lo vivo a lo pintado

Pero eso no es todo. La transfiguración del lector va acompañada de sustanciales alteraciones que afectan decisivamente al conjunto. En la estrofa I el narrador presenta la sala en función de tres elementos primordiales: «el querido hermano», sujeto de la oración primera y principal; «nosotros», sujeto de una oración subordinada —«que vimos»—; y «sueño infantil», identificado con «claro día» del pasado. La última estrofa re-presenta la sala, pero introduce modificaciones significativas. El «querido hermano» no se cita; su lugar, como sujeto de la primera oración, lo ocupa ahora un «serio retrato». El «nosotros» permanece externamente invariable;[*] cumple la misma función gramatical y aparece en el mismo espacio físico: en la primera mitad del segundo verso de la estrofa. La expresión «en el sueño (...) un día» está sustituida por «en la tristeza (...) el reloj». Pero ¿se trata de sustituciones o de metamorfosis? El poema no dice nada, pero lo sugiere todo. La evidente coherencia semántica de las nuevas y viejas sustancias y la estructura simétrica contribuyen a identificar las distintas realidades contrapuestas. El lector puede intuir que lo que era «sueño» y «claro día» en el pasado es ahora *tristeza* y *tiempo abstracto,* y que el viajero (o «querido hermano») se ha metamorfoseado en algo que, por otra parte, el poema mismo ha venido insinuando de muchas maneras: en un retrato. Y detrás del viajero, arrastrados por él, también los componentes del «nosotros» —recordemos que el verso 2 sitúa al «querido hermano» *entre nosotros*—, lector inclusive, pasan, como las

---

[*] Sin embargo, está modificado semánticamente por el adjetivo «todos», que sustituye al «nosotros» como sujeto de la oración «todos callamos». Y «nosotros todos» sugiere que «nosotros somos todos», confirma la insinuada desaparición del viajero, convertido en retrato. *(N. del A.)*

famosas cerezas del cesto, a integrar el cuadro de la sala completa que «clarea todavía» en la pared (estremecedor, amenazante aquí el adverbio temporal «todavía»). La sugerencia del carácter fantasmal de la vida culmina en ese tránsito de lo vivo a lo pintado.

La relación entre *El viajero* y *Las meninas* no se justifica únicamente por la ya señalada presencia del inquietante espejo de la pared del fondo, sino por otras muchas razones: la importancia de la luz, la atmósfera, el claroscuro, los penetrantes rasgos psicológicos que el rostro revela, el realismo de la factura, la intromisión de la vida en la ficción, los diferentes planos de ficción que el autor establece... Del mismo modo que en la pintura Velázquez se deja ver practicando su oficio, así, en el poema, el autor —el *iluminador*— permite que presenciemos sus manipulaciones de retratista, se incluye a sí mismo en la escena, e incorpora al lector-espectador —como Velázquez a los personajes reales— en el conjunto que describe.

La impresión que produce *El viajero* es casi mágica; reproduce el vértigo de los laberintos de espejos, la infinita sensación de vacío que las cajas chinas ofrecen a quien las abre. El lector se acerca con curiosidad al poema para contemplar una escena familiar, y lo que ve es una fotografía descolorida en la que, entre unas figuras ya inexistentes, se reconocerá —si se fija bien— a sí mismo, formando parte inconfundible de ese testimonio de la muerte, de esa evanescente galería de fantasmas. Como don Félix de Montemar, el lector de *El viajero* acaba presenciando el espectáculo de sus propios despojos.

V. AFIRMACIÓN, NEGACIÓN Y SÍNTESIS: COHERENCIA DEL PROCESO CREATIVO DE ANTONIO MACHADO

Confirmando, en mi opinión, algunas de las reflexiones expuestas, la poesía de Antonio Machado parece desarrollarse y completarse, en su conjunto, en función de tres impulsos básicos que coinciden con las tres fases del discurso dialéctico: la afirmación, la negación y la síntesis. Si tomamos sus libros como punto de referencia, el proceso puede formularse así: afirmación del «yo» en *Soledades, galerías y otros poemas;* afirmación de «lo otro» y de «los otros» (negación implícita del «yo») en *Campos de Castilla;* síntesis de las afirmaciones antitéticas por medio del «nosotros» que configuran *Nuevas canciones* y *De un cancionero apócrifo.*

Los dos eslabones que inician la cadena dialéctica son terminantes. *Soledades, galerías y otros poemas* constituyen un conjunto homogéneo en virtud del intimismo, de la investigación dentro de un «yo» que apenas muestra curiosidad por algo que no sea lo que él mismo contiene: recuerdos y sueños.[*] Cierto que, especialmente los recuerdos, se refieren a veces a realidades exteriores y verosímiles,

---

[*] Aunque en esa colección están ya presentes los gérmenes que conducirán a la descomposición de la actitud inicial del poeta, el poema «Orillas del Duero», claro anticipo de *Campos de Castilla,* y las «Coplas elegíacas», en las que expone un amplio repertorio de sabiduría popular, es decir, ajena. *(N. del A.)*

son evocados con una técnica de pintor realista que
devela objetos inconfundibles («Las moscas», «El
viajero», «Recuerdo infantil», «A un viejo y distinguido señor»...) reconocidos inmediatamente por el
lector como entidades con valor propio (con independencia de la especial luz con la que el poeta los
presenta). Pero esos «lienzos del recuerdo», como
en más de una ocasión los llamó su autor, revelan
que no es la realidad presente lo que le preocupa al
primer Machado, sino la realidad inactual, no vivida o ya consumada, ausente en cualquier caso, no
real en último extremo.

Con la misma determinación que en *Soledades,* Machado afirma en *Campos de Castilla* la actitud contraria. El poeta somete a un giro de noventa
grados la orientación de su mirada, dirigida ahora al
mundo exterior, a la realidad inmediata y actual que
tiene ante sus ojos.[*]

Producido el cambio, Antonio Machado considera su primer libro en una distante perspectiva,
casi como consecuencia inevitable de ciertas presio-
nes ambientales ya superadas, según muestra el siguiente texto, que hace referencia al momento de la
escritura de *Soledades:*

---

[*] Estoy refiriéndome a la primera edición de *Campos de Castilla.* El desplazamiento hacia la objetividad se advierte más difusamente en su versión
definitiva, completada en Baeza después de la muerte de su mujer, con
una serie de poemas en los que necesariamente el paisaje castellano no está
visto en su actualidad, sino presentado otra vez a través de los recuerdos y
los sueños. Pero eso no invalida la actitud dominante que el libro revela;
una actitud que, pese a todos los recelos que el término despierta, podríamos llamar *realista* sin pecar en exceso de inexactos; realismo confirmado
en alguno de los poemas escritos en Baeza, como «Otro viaje», «Poemas
de un día», «Los olivos» y «Del pasado efímero». *(N. del A.)*

La ideología dominante era esencialmente subjetivista; el arte se atomizaba, y el poeta, en cantos más o menos enérgicos —recordad al gran Whitman entonando su *mind cure,* el himno triunfal de su propia cenestesia—, sólo pretendía cantarse a sí mismo, o cantar, cuando más, el humor de su propia raza. Yo amé con pasión o gusté con empacho esa nueva sofística...

La última palabra transcrita revela que Machado consideraba (en 1919) que todo aquello había sido un engaño o un error, del que, por otra parte, no se arrepiente, sino que asume sin ambigüedades, casi —después de haber empleado un término tan duro— con valentía. Pero aun aceptando que el subjetivismo haya sido una actitud impuesta por las circunstancias, o —recurriendo de nuevo a una ya citada expresión de Langbaum— *la insoslayable condición* para los poetas de una época, nunca podrá hablarse de «sofisma», de mentira o de error si nos referimos a *Soledades.* En primer lugar, por el alto valor que en sí mismos, considerados como un bloque independiente, tienen esos poemas; en segundo lugar, porque suponen un punto de partida, una referencia imprescindible que motiva y justifica los desarrollos posteriores de su poesía y les otorga un sentido peculiar. La originalidad de Machado —puesto que la originalidad sólo puede apreciarse en relación con la conducta de los demás— consiste en su evolución en contra de las corrientes dominantes; si, invirtiendo la dirección de su trayectoria, hubiese partido de la contemplación del mundo exterior para pasar después a la contemplación de su intimidad, en el dudoso supuesto de que tal itinerario hubiese estado a su alcance, lo que hay de personal en su obra quedaría muy disminuido. Su evolución le habría llevado a coincidir, con retraso, con todos los grandes poetas de su tiempo. En cambio, la que efectivamente adoptó le lleva —y de qué modo y hasta qué punto— a diferenciarse de ellos, a distinguirse.

Lo que está por debajo de ese paso de una a otra actitud es, otra vez y con más relieve que otras causas, el temple dialéctico de Machado, su inconformismo con cualquier formulación que pueda ser interpretada como la versión de «la verdad absoluta»; inconformismo que le empuja a la negación de lo afirmado como único modo de evitar las versiones simplistas que se derivan de (o conforman) una concepción unilateral del universo. Ni una afirmación, fuese cual fuese su signo, ni la consiguiente negación que supusiese la categórica invalidación de aquélla, tendrían sentido. La eficacia de la una y de la otra consiste en el constante enfrentamiento de ambas: si una lograse prevalecer definitivamente, perdería su razón de ser. Así parece entenderlo, al fin, Antonio Machado, cuando, cinco años después de la publicación de *Campos de Castilla,* tras haberse detenido alternativamente en el momento de la afirmación y en el de la negación, escribe:

Si miramos afuera y procuramos penetrar en las cosas, nuestro mundo externo pierde solidez, y acaba por disipársenos cuando llegamos a creer que no existe por sí, sino por nosotros. Pero si, convencidos de la íntima realidad, miramos adentro, entonces todo nos parece venir de fuera, y es nuestro mundo interior, nosotros mismos, lo que se desvanece.

El problema lo es verdaderamente, no porque plantee el enfrentamiento de dos términos contradictorios, sino porque no puede resolverse como si se tratara de una opción. La solución no podía estar en una elección condenada por definición al fracaso, sino en una síntesis. «¿Qué hacer, entonces?», se pregunta el poeta. En principio, su respuesta es imprecisa, poco satisfactoria: «Soñar nuestro sueño, vivir». Creo que Machado planteaba el problema en términos inadecuados, obsesionado por la cuestión del objeto a contemplar, y no se daba cuenta de que estaba resuelta de la mejor manera posible en su obra. Porque, en cierto modo, el poeta ya había conseguido la síntesis entre mundo exterior y mundo interior: en *Soledades,* mirando lo de afuera —tras reducirlo a sueño o a experiencia— dentro de sí mismo; y en *Campos de Castilla,* atribuyendo en ocasiones a la naturaleza sus propios sentimientos —aunque justo es señalar la moderación con que usa tal procedimiento— por medio de ese trasvase emotivo que los críticos románticos bautizaron con el nombre de «falacia patética». Así, la tierra es *humilde, triste, noble;* las encinas, *castas y buenas,* los campos *sueñan,* la soledad está *poblada de agria melancolía.*

En consecuencia, el equilibrio entre subjetividad y objetividad que Machado pretendía no podía mejorarse alterando el objeto de la mirada. Sólo lograría el poeta resolver el dilema al que se enfrentaba mediante la rectificación, llevada a cabo en sus últimos libros, no de la dirección de la mirada, sino del punto de vista. En 1928 Machado lo había entendido ya de ese modo, según se desprende de estas palabras suyas, tomadas de una carta a Giménez Caballero: «Esa nueva objetividad (...) que yo persigo hace veinte años, no puede consistir en la lírica —ahora lo veo muy claro— sino en la creación de nuevos poetas —no nuevas poesías— que canten por sí mismos».

Así, en *Nuevas canciones* y *De un cancionero apócrifo,* Machado ya no contempla el mundo con su mirada, o al menos *no sólo* con su mirada: también lo ve con los ojos de *los otros,* esos «nuevos poetas que cantan por sí mismos». Si la mutación que *Campos de Castilla* representa respecto a *Soledades,* al menos en sus novedades más destacadas, puede reducirse a un cambio de género (de la lírica a la épica), la síntesis de las dos posiciones la encuentra Machado, como es lógico, en la esencia del drama: el poeta ya no es el personaje que canta o que cuenta, sino un autor de personajes. Su viejo y gaseoso «retablo de los sueños», levantado siempre, igual que en las antiguas representaciones teatrales, ante un desteñido telón de fondo —«los lienzos del recuerdo»— como decorado casi único, se materializa ahora, cobra una nueva apariencia de vida. En él, Juan de Mairena, Abel Martín y Antonio Machado exponen con voz propia su particular versión del mundo y de sí mismos, edifican una compleja lírica colectiva que supone *la negación de la negación* y el regreso —tal vez sería mejor decir el progreso— a un punto que se aproxima a la afirmación inicial: la recuperación de la «primera persona» aunque del plural, esta vez.

Abandonando el ideal romántico de la sinceridad, Machado acepta la farsa, asume el papel de histrión que en otro tiempo se resistía a aceptar, y se coloca decididamente las máscaras que convertirán al poeta en personaje múltiple y ficticio. Pero no olvidemos que las suyas son máscaras que no enmascaran, en cuanto a que no implican falsificación alguna: como las de la tragedia griega, son máscaras que hacen más resonantes las palabras y caracterizan los aspectos complementarios de un discurso que deja de ser monólogo para convertirse en diálogo, otro rasgo dialéctico.

A esas voces hay que añadir todavía otra, plural en sí misma: la *voz del pueblo,* portadora del *sentido común* que Machado incorpora a su lírica mediante la apropiación de temas y formas pertenecientes al folklore; es una manera de continuar la tradición romántica que, a partir de 1920, obedece en él al deseo de convertir su propia palabra en vehículo expresivo de experiencias ajenas. La «lengua hecha» y la sabiduría proverbial, las fórmulas estróficas propias de la canción y los mitos que la tradición ha perpetuado, filtran en el poema el sentir y el pensar colectivos, en lo que tienen de coincidente con sus propios sentimientos y pensamientos. Y esto no acontece por azar o por añadidura, como podía haber sido en el caso de sus primeras aproximaciones al folklore; ahora todo sucede de un modo deliberado, según se desprende de las precisiones del poeta acerca de los propósitos que presidieron la escritura de *Nuevas canciones:* «Componer coplas que no pretenden imitar la manera popular —inimitable (...)—, sino coplas donde se contiene cuanto hay de común en mí con el alma que canta y piensa en el pueblo». Y quiero destacar, porque me parece importante, que —según se deduce del citado texto—

Machado no renuncia a expresarse a sí mismo; se limita a prescindir de lo que podría calificar de particulares o únicas a sus experiencias y vivencias, para transmitir lo que hay en ellas de general y compartido. Su poesía, al expresar lo que hay de común en él con los otros, expresa también a los otros: Machado había encontrado, al fin, la objetividad que perseguía. ¡Qué lejos está Machado, en ese punto, de la lírica simbolista y de los principios que informaban la estética de Croce y el trabajo de la mayoría de los poetas de su tiempo!

Así, el desarrollo total de la obra poética de Machado puede reducirse al paso desde las «galerías del alma» hasta la «galería de las almas», trazando un itinerario dialéctico que queda aproximadamente definido por los siguientes puntos fijos:[*]

I   *Afirmación del «yo»*; primera persona del singular *(Soledades, galerías y otros poemas):*

galerías del alma, retablo de los sueños, lienzos del recuerdo, tiempo interior, prehistoria personal.

II   *Negación del «yo»*; tercera persona *(Campos de Castilla):*

afirmación de la naturaleza y de los otros; tiempo exterior, Historia, autobiografía.

---

[*] El siguiente esquema coincide de modo significativo —la coincidencia no fue deliberada— con las tres vertientes del canto temporal de Antonio Machado que José Olivo Jiménez señala en el libro *Cinco poetas del tiempo,* 2.ª ed., Ínsula, Madrid, 1972, págs. 18-19. *(N. del A.)*

III   *Síntesis;* primera persona del plural *(Nuevas canciones, De un cancionero apócrifo):*

> Antonio Machado, Juan de Mairena, Abel Martín; el folklore, la voz —tono, formas, temas, mitos— del pueblo; historias personales, Historia.

El empleo del «nosotros» en el último Machado no es, pues, una manera de hablar, una licencia poética; no se trata del plural mayestático —inconcebible en él—, ni siquiera del plural *de modestia,* tal y como otras veces lo había utilizado. En ese momento, la primera persona del plural es la expresión justa, la que mejor conviene a lo que nombra, denota con fidelidad al personaje efectivamente colectivo que oímos en los versos escritos a partir de *Nuevas canciones.*

Al discurrir dialéctico de Machado hay que atribuir el hecho de que su obra se revela, en su diversidad, como un conjunto de extraordinaria coherencia. Cada etapa de su evolución se enriquece por contacto con las que le anteceden y preceden; considerarlas estáticamente, aisladamente, es empobrecerlas, destruir un conjunto armonioso, imposible de desmontar sin lesionarlo. Sólo si la contemplamos dentro del proceso dinámico en el que se manifiesta, la poesía de Machado puede ser percibida en toda su complejidad. Es verdad que el poeta rectifica en ciertos momentos sus actitudes básicas, pero no invalida las anteriores. También en ese comportamiento se diferencia de sus contemporáneos. Juan Ramón Jiménez habló de «borradores silvestres» para referirse a sus ¡doce o catorce *primeros* libros! Unamuno se pasó gran parte de su vida tratando de enterrar algunos de los muchos «ex futuros» que fue abandonando en el curso de su ancha y larga carrera de escritor. De «arrepentidos tardíos» (o madrugadores) está llena la generación del 98. Machado, por su peculiar manera afirmativa de negar, no tuvo necesidad de arrepentirse de nada. Sus títulos nunca fueron borradores. Su primer libro, el único *primer libro* que publicó, sigue siendo un libro fundamental mucho tiempo después de haber sido escrito.

Aparición y transformación de las «galerías del alma» en el proceso creativo de Antonio Machado

Para comprobar los efectos del juego de afirmaciones y negaciones a que Machado somete sus temas y actitudes centrales y —puesto que la negación nunca supone en él, a la larga, la anulación de lo negado— constantes, voy a dedicar especial atención a las «galerías del alma», imagen fundamental en la que se centran algunas de las preocupaciones que el poeta nunca abandonaría: la operación de transformar los recuerdos en sueños —y viceversa—. Al elegir ese tema no he tenido únicamente en cuenta su prolongado carácter de *leit-motiv,* sino, sobre todo, el hecho de su referencia a las actitudes intimistas e individualistas de las que Machado intentará desprenderse a partir de *Campos de Castilla.* Me parece que las «galerías del alma» son la mejor piedra de toque para mostrar cómo, aun tratándose de un asunto aparentemente tan alejado de sus últimas preocupaciones, la negación de Machado es siempre dialéctica, desemboca en una síntesis en la que lo negado aparece nuevamente afirmado de un modo diferente que deja en pie, al mismo tiempo, su negación. Veremos, pues, lo que significan las «galerías del alma» en la primera parte de su obra, comprobaremos su desvanecimiento en *Campos de Castilla* —lo cual no quiere decir que Machado renuncie al acto de recordar ni a la operación de soñar—, y advertiremos finalmente cómo, a partir de *Nuevas canciones,* reaparecen las galerías con un sentido completamente distinto; reaparición que supone, en cierto modo, su invalidación.

El primer texto en el que voy a detenerme es el poema LXI, perteneciente a *Soledades, galerías y otros poemas,* que reproduzco a continuación:

GALERÍAS

LXI

Introducción

1   *Leyendo un claro día*
mis bien amados versos,
he visto en el profundo
espejo de mis sueños
5   *que una verdad divina*
temblando está de miedo
y es una flor que quiere
echar su aroma al viento.
     El alma del poeta

10   se orienta hacia el misterio.
     Sólo el poeta puede
     mirar lo que está lejos
     dentro del alma, en turbio
     y mago sol envuelto.
15   En esas galerías,
     sin fondo, del recuerdo,
     donde las pobres gentes
     colgaron cual trofeo
         el traje de una fiesta
20   apolillado y viejo,
     allí el poeta sabe
     el laborar eterno
     mirar de las doradas
     abejas de los sueños.
25   Poetas, con el alma
     atenta al hondo cielo,
     en la cruel batalla
     o en el tranquilo huerto,
         la nueva miel labramos
30   con los dolores viejos,
     la veste blanca y pura
     pacientemente hacemos,
     y bajo el sol bruñimos
     el fuerte arnés de hierro.
35   El alma que no sueña,
     el enemigo espejo,
     proyecta nuestra imagen
     con un perfil grotesco.
         Sentimos una ola
40   de sangre, en nuestro pecho,
     que pasa... y sonreímos
     y a laborar volvemos.

El poema se inicia con dos versos de valor primordialmente realista y enunciativo (aunque la adjetivación les dé un fuerte carácter literario): «Leyendo un claro día mis bien amados versos...». A partir de esa entrada tan directa, casi ninguna de las palabras importantes señala a lo que literalmente significa: *espejo, flor, sol, galerías, traje de fiesta, abejas, cielo, cruel batalla, huerto, miel, veste, arnés,* son nociones en sí mismas muy concretas, pero vaciadas de su habitual contenido por el especial uso que de ellas hace el poeta, que las relaciona con otras realidades de manera semánticamente inadecuada: las galerías son *galerías del alma,* el espejo es un *espejo de sueños,* la flor es una *verdad divina,* etcétera. Para el lector está claro que esas palabras aluden a algo diferente, que queda así misteriosamente representado, iluminado por una luz turbia y mágica, como entrevisto en imprecisa lejanía. La fórmula expresiva intensifica de ese modo con especial eficacia lo que comunican los versos 9 a 14 del poema, que comienzan con una declaración o definición central, en torno a la cual todo el texto se mueve en aproximaciones que insinúan y refuerzan, sin llegar a formularlo nunca decididamente —«como una flor que quiere / echar su aroma al viento»—, lo que afirman (otra vez de manera excepcionalmente directa) los versos 9 y 10: «El alma del poeta se orienta hacia el misterio».

Antonio Machado se ha limitado a disponer en el poema una serie de símbolos que de una manera aproximada e incompleta ilustran, ensanchan y a la vez desdibujan tan descarnada, genérica y —por tópica— trivial afirmación. La coherencia de los símbolos se debe, más que a un soporte lógico ordenador,* a su reiteración: y aquí hemos tropezado una vez más con una de las constantes estilísticas más caracterizadoras de la expresión de Machado. Esas nociones insinuadas por símbolos aparentemente deslavazados e incluso contradictorios, se presentan y representan, o encuentran réplica fiel en otros conceptos (afines a veces por simple metonimia). Consideremos las relaciones entre algunos de esos símbolos, los más destacados, que aparecen acumulados en los versos 29 a 34. La «nueva miel labrada con los dolores viejos» debe referirse al «laborar eterno de las doradas abejas de los sueños» (versos 22 a 24), al «tranquilo huerto» (verso 28) y quizá —¿por qué no?— a «la flor que quiere echar su aroma al viento» de los versos 7 y 8. La «veste blanca y pura» es réplica al «traje de una fiesta apolillado y viejo» (versos 19 y 20), y puede relacionarse también, por su carácter de ropaje angélico, con el «hondo cielo» del verso 26. El «fuerte arnés de hierro» parece un elemento insólito y perturbador, pero corresponde con rigor a la «cruel batalla» que aparece en el verso 27. Todos esos símbolos, expuestos como cosas que los poetas trabajan («labran», «hacen» y «bruñen») en su alma resuenan otra vez, unificados, en las palabras finales del poema: «... y a laborar volvemos».

Consecuentemente con su comportamiento dialéctico, Antonio Machado contrasta en este texto dos sustancias: una entidad primera, el *alma,* y su consecuencia, los *versos,* que se oponen en dos

---

* Completamente desvanecido, si existe, por la vaguedad y el carácter parcial y mudable de las alusiones: la miel, por ejemplo, es labrada alternativamente por las abejas y por el propio poeta. *(N. del A.)*

planos enfrentados como un objeto y su imagen reflejada en un espejo. La oposición se resuelve en identidad, ya que los dos términos contrastados contienen lo mismo —sueños— y se comportan del mismo modo, puesto que el alma, igual que los versos-espejo, recoge lo que está fuera de ella, *lejos* (verso 12). También están implícitamente contrastados en el poema los sueños y la vida, aunque ambos puedan considerarse, una vez más, como idénticos en algún sentido, puesto que los sueños actualizan en el alma lo que está lejos, los recuerdos, lo pasado, lo *vivido*.

Así, el poeta se presenta a sí mismo tal como la noche lo ve en el poema XXXVII: «Vagando en un borroso laberinto de espejos». Pero en la «Introducción» a *Galerías* no se apunta a los efectos disolventes de la entidad real del hombre que escribe, sino que, por el contrario, se insinúa la posibilidad de que los espejos y las imágenes revelen una verdad divina, sean capaces de clarificar el misterio hacia el que se orientan las almas líricas. Los símbolos definen el trabajo del poeta como una operación de alquimia que subvierte profundamente todas las sustancias: la vida se convierte en recuerdos, los recuerdos en sueños, los sueños en versos, y los versos están a punto de alumbrar «una verdad divina». El poeta no dice que esta última metamorfosis se haya conseguido; lo único que afirma es que en los versos, espejo de los sueños, hay una verdad que quiere revelarse. Su confianza en obtener esta destilación final a partir de los versos, último subproducto logrado en «los crisoles del alma», se desprende de la alegría esperanzada con que el poeta-alquimista reanuda su tarea: «... y sonreímos, y a laborar volvemos».

Pero no siempre es así en *Galerías;* a veces anticipando su actitud final, Antonio Machado duda de la eficacia de su método. Un sentimiento pesimista parece dictar la larga interrogación sin respuesta que llena el poema LXXVIII, que termina planteando una inquietante posibilidad: «¿Los yunques y crisoles de tu alma / trabajan para el polvo y para el viento?». Sin embargo, en el poema comentado vemos a un Machado que se dispone a recorrer las galerías del alma con la ilusión de encontrar en ellas algo lejano y verdadero. El título del poema —«Introducción»— le da a su contenido el valor de una declaración programática previa. Parece claro que, cuando escribía *Galerías,* Machado se sentía inclinado a creer que la poesía es un medio para darle a la vida un último sentido de carácter vagamente religioso —la verdad posiblemente revelada está calificada de «divina»—, únicamente alcanzada en los más hondos estratos de su espíritu; también dijo lo mismo en prosa. Pero en su exploración por las galerías del alma va a encontrar cosas muy vagas, muy inconcretas, indefinibles o inefables acaso porque no existen. Y eso es lo que motiva su paso de la duda esperanzada a la duda pesimista.

En la primera edición de *Campos de Castilla* se advierte el más radical cambio en la dirección de la mirada del poeta: de su propio corazón hacia lo otro y los otros. Machado logró encontrar la puerta de salida del confuso laberinto interior por el que se movía. Pero hay un dato que permite adivinar su intención de regresar a los recodos de su espíritu: el poeta se dedica a acumular lo contemplado en las profundidades del alma: «Oh sí, conmigo vais, campos de Soria...». «¡Conmigo vais, mi corazón os lleva!», dice varias veces en el poema CXIII. Las galerías del alma se han convertido en almacenes. Y a ellos irá el poeta a buscar las realidades que ama, cuando esas realidades se desvanezcan para él.

Alejado definitivamente de Soria, y muerta Leonor, Machado reanuda la operación de soñar mediante la reconstrucción de los recuerdos. Recordemos el poema CXXI:

Allá, en las tierras altas,
por donde traza el Duero
su curva de ballesta
en torno a Soria, entre plomizos cerros
y manchas de raídos encinares,
mi corazón está vagando, en sueños...
¿No ves, Leonor, los álamos del río
con sus ramajes yertos?
Mira el Moncayo azul y blanco; dame
la mano y paseemos.
Por estos campos de la tierra mía,
bordados de olivares polvorientos,
voy caminando solo,
triste, cansado, pensativo y viejo.

En esta ocasión es evidente que el deambular de Machado por un mundo no actual discurre fuera de los borrosos límites de las viejas galerías. Su corazón está vagando en sueños, sí, pero «allá en las tierras altas por donde traza el Duero su curva de ballesta en torno a Soria». Ese *allá* directa, casi precipitadamente definido, es un espacio abierto y extenso, reconocible en sus certeras precisiones geográficas, poblado por seres con rostro propio: Leonor y Antonio, que se comportan con gestos y palabras naturales y cotidianos: «¿No ves, Leonor, los álamos...?». «Mira el Moncayo.» «Paseemos.»

En las tortuosas galerías no había sitio para tan vasta realidad material; las «galerías del alma» estaban, más que habitadas, decoradas por turbios lienzos, por retablos, y figurillas, y juguetes melancólicos: eso es lo único que cabía en sus estrechos, aunque hondos límites. La ensoñación, que acabará ocupando un espacio importante en la segunda y definitiva edición de *Campos de Castilla,* no parte como antes del intento de recuperar lo olvidado y misterioso, sino de un recto ejercicio memorístico, del recuerdo de algo inolvidable que fue real en algún momento próximo —Leonor— o lo es todavía en otro lugar —el paisaje de Soria—. En *Soledades, galerías y otros poemas* el ensueño reflejaba deseos indefinibles, sueños; en *Campos de Castilla* recoge memorias de realidades concretas y cercanas. Pero hay otra diferencia más importante, que destaca mejor los efectos del desplazamiento dialéctico del tema de los sueños. Al contrario de lo que sucedía en *Soledades,* el poeta no se queda en *Campos de Castilla* perdido en el escenario de la ensoñación, sino que regresa a su sitio, vuelve al mundo para contrastar el divagar ilusorio con la realidad actual, negadora implacable de los sueños. Sin transición, sin explicación, tras su recorrido ideal con Leonor por las tierras altas de Soria, el poeta se sitúa en el lugar donde *en verdad* está:

Por estos campos de la tierra mía
bordados de olivares polvorientos,
voy caminando solo,
triste, cansado, pensativo y viejo.

Así es la realidad, honestamente reconocida. Es evidente que Antonio Machado ya no piensa a esas alturas que todo en la vida es sueño, ni afirma que la operación de soñar pueda conducir a la revelación de una verdad profunda, ni vive tampoco únicamente de cara al pasado. No hay esperanza durable en el ensueño: sólo consuelo muy fugaz que deja paso a la constatación dolorosa de una amarga verdad insoslayable. En la segunda edición de *Campos de Castilla* la esperanza volverá a insinuarse en una actividad afín al ensueño: el acto onírico, los sueños del dormir, que el poeta comienza a considerar con más atención que en sus libros anteriores.

Así pues, la operación de soñar, desarrollada en la memorización de grandes escenarios abiertos y reales o confinada en las fronteras del sueño fisiológico, supone en *Campos de Castilla* una manera de negar las «galerías del alma», ya desvanecidas o clausuradas por inservibles.

En cambio, *Nuevas canciones,* por su carácter de síntesis de las dos actitudes contrarias, representa *la negación de la negación* de las galerías, o —dicho más claramente— su reafirmación. Naturalmente, las galerías no serán en la síntesis lo que fueron en la primera afirmación: el poeta vuelve a ellas para recorrerlas nostálgicamente y constatar, al concluir tan melancólico paseo, su inutilidad.

Este regreso al escenario de sus primeros sueños corrobora la coherencia del desarrollo de la obra de Antonio Machado; a la parte del libro *Soledades, galerías y otros poemas* titulada *Galerías,* corresponde en *Nuevas canciones* una serie poemática más breve —pero no menos intensa y bella— amparada de modo significativo en el ya conocido rótulo. Creo que tiene interés comparar la «Introducción a las Galerías» de 1907 con ese extenso poema (CLVI), que reproduzco a continuación:

GALERÍAS

I

En el azul la banda
de unos pájaros negros
que chillan, aletean y se posan
en el álamo yerto.
… En el desnudo álamo,
las graves chovas quietas y en silencio,
cual negras, frías notas
escritas en la pauta de febrero.

II

El monte azul, el río, las erectas
varas cobrizas de los finos álamos,
y el blanco del almendro en la colina,
¡oh nieve en flor y mariposa en árbol!
Con el aroma del hablar, el viento
corre en la alegre soledad del campo.

III

Una centella blanca
en la nube de plomo culebrea.
¡Los asombrados ojos
del niño, y juntas cejas
—está el salón oscuro— de la madre!…
¡Oh cerrado balcón a la tormenta!
El viento aborrascado y el granizo
en el limpio cristal repiquetean.

IV

El iris y el balcón.
     Las siete cuerdas
de la lira del sol vibran en sueños.
Un tímpano infantil da siete golpes
—agua y cristal—.
    Acacias con jilgueros.
Cigüeñas en las torres.
     En la plaza,
lavó la lluvia el mirto polvoriento.
En el amplio rectángulo ¿quién puso
ese grupo de vírgenes risueño,
y arriba ¡hosanna! entre la rota nube,
la palma de oro y el azul sereno?

V

Entre montes de almagre y peñas grises
el tren devora su raíl de acero.
La hilera de brillantes ventanillas
lleva un doble perfil de camafeo,
tras el cristal de plata, repetido...
¿Quién ha punzado el corazón del tiempo?

VI

¿Quién puso entre las rocas de ceniza,
para la miel del sueño,
esas retamas de oro
y esas azules flores de romero?
La sierra de violeta
y, en el poniente, el azafrán del cielo,
¿quién ha pintado? ¡El abejar, la ermita,
el tajo sobre el río, el sempiterno
rodar del agua entre las hondas peñas,

y el rubio verde entre los campos nuevos,
y todo, hasta la tierra blanca y rosa
al pie de los almendros!

VII

En el silencio sigue
la lira pitagórica vibrando,
el iris en la luz, la luz que llena
mi estereoscopio vano.
Han cegado mis ojos las cenizas
del fuego heraclitano.
El mundo es, un momento,
transparente, vacío, ciego, alalo.

Al contrario de lo que ocurría con las primitivas *Galerías,* éstas no llevan ninguna introducción. Asimismo, el lenguaje simbólico —que no falta— ha dejado un amplio espacio a otro primordialmente denotativo. El poema presenta un paisaje dinamizado, transformado por la acción de una tempestad; se trata de una especie de resumen argumental de la *Séptima sinfonía* de Beethoven: del sol a los relámpagos; de los relámpagos al iris, y otra vez al sol. Los verbos, en presente de indicativo, le dan a la descripción una apariencia de actualidad, de inmediatez. Pero no nos confundamos: ese paisaje tan nítidamente configurado por unas pinceladas precisas y sucesivas que lo van ampliando y modificando, se abre en el interior del alma del poeta, a quien le basta ahora una sola palabra mágica colocada antes del texto —«galerías»— para revelar el alcance de su intuición. Tras esa orientación, los «asombrados ojos del niño» que contempla la tormenta cobran un sentido muy preciso, confirman que se trata de un recuerdo:

no se describe lo que el poeta adulto está mirando, sino lo que el niño vio. Otra vez, el alma recoge «lo que está lejos». Es de notar que ahora, en esas galerías del alma reconvertidas en un momento dado en almacenes, Antonio Machado encuentra todos los viejos materiales que nutrieron su ya largo divagar lírico: álamos, montes azules, aromas, centellas, iris, balcones, plazas, vírgenes risueñas... El contenido de las galerías se ha enriquecido considerablemente con el paso del tiempo, aunque, lo mismo que ayer, todo esté dispuesto «para la miel del sueño».

Y efectivamente, el ensueño se produce y se refleja en su «profundo espejo»: los versos. Pero ¿sigue habiendo «una verdad divina» en ellos? Veremos que no, aunque, en principio, todavía «el alma del poeta se orienta hacia el misterio», según se deduce de los urgentes interrogantes planteados en los fragmentos IV, V y VI del poema, interrogantes que, si obtuvieran respuesta, desvelarían el sentido de todo lo que en el alma se evoca o conserva. «¿Quién puso ese grupo de vírgenes...? —se pregunta Machado—. ¿Quién ha punzado el corazón del tiempo?». «La sierra de violeta ¿quién ha pintado?» ¿Quién lo dispuso, en resumen, todo «para la miel del sueño»? Las preguntas quedan sin respuesta; lo único que el poeta afirma, al final del fragmento VI, no es el sentido, sino la presencia de las cosas recordadas, enumeradas simplemente entre signos admirativos que confirman su exaltación ante el mundo soñado o evocado; «¡El abejar, la ermita, el tajo sobre el río...!». Tenemos la impresión de que ese amplio repertorio de realidades desvanecidas se conserva allí, vibrante, vivo, pese a que no sepamos por qué ni para qué. Aunque no se conservará durante mucho tiempo.

El fragmento VII que cierra el extenso poema parece negar el sentido que antes atribuía Machado a su deambular por los pasillos de su espíritu. Los versos son ambiguos, pero no es difícil, si nos atenemos a alguna palabra clave, ver en ellos una réplica negativa a la esperanza que en otro tiempo albergaba el poeta al adentrarse en las galerías del alma, desprovistas ahora de su carácter de recinto mágico para quedar reducidas a la mínima dimensión de un juguete mecánico, divertido e inútil: un «estereoscopio vano» que no contiene ninguna «verdad divina», que en vez de revelar misterios, ciega. Porque lo recordado en el ensueño —o lo soñado en el recuerdo— no es vida, sino residuo seco de la vida: «cenizas del fuego heraclitano». Tras la contemplación del pasado, la incomunicación entre el poeta y el mundo es absoluta, aunque pasajera: «El mundo es, un momento, transparente, vacío, ciego, alalo». Es decir, el mundo es algo —«transparente, vacío»— que el poeta no ve y que a su vez —«ciego, alalo»— ignora al poeta. Quiero recordar aquí que el término «alalo», erróneamente convertido en «alado» en bastantes ediciones de Machado, es, según las oportunas precisiones de J. M. Valverde, un helenismo más o menos inventado por el poeta que significa «que no habla».

En resumen, la mutación coherente y dialéctica de la obra de Antonio Machado supone la consecuente transformación de todos los materiales que en su fluir arrastra. El centro de uno de los núcleos obsesivos que con más frecuencia muestra ese discurrir lírico, las *galerías del alma,* que implican la operación de soñar, la actualización del pasado y el acto de la escritura poética, es presentado primero como sustancia mítica, negado —o borrado— después, y reafirmado, aunque ya sin su carácter mítico —es decir, con su esencia radicalmente alterada— en la síntesis final.

Y cuando hablo de *mito*, quiero dar a la palabra el alcance que, en muchos aspectos, le otorga Mircea Eliade. Porque en las galerías del alma, el poeta «deja de existir en el mundo cotidiano y penetra en un transfigurado, amaneciente mundo impregnado con la presencia de lo sobrenatural». Allí conoce «las historias primordiales que lo constituyen existencialmente», le es posible «saber no sólo cómo las cosas llegan a cobrar existencia, sino también dónde encontrarlas y cómo hacerlas reaparecer cuando se han desvanecido». Las *galerías* del primer Machado contienen una «revelación primordial», «le dan valor y significado a la vida», implican «una experiencia genuinamente religiosa» —recuérdese que la verdad que *tiembla* en sus versos es una verdad *divina*—. Todas las frases entrecomilladas, tan definidoras del primer Machado, las he traducido literalmente de la versión inglesa del libro de Eliade *Mito y realidad* (cap. I, «The structure of Myth»), y son, según su autor, algunos de los rasgos fundamentales y configuradores del mito. En consecuencia, no parece inoportuno afirmar que el joven Machado vive las galerías del alma como un espacio mágico de carácter mítico.

En cambio, en *Campos de Castilla* los acontecimientos esenciales que el poeta evoca ya no están situados *ab origine;* son, por el contrario, recuerdos de una vida inmediata, sucesos históricos y personales que no generan mitos, sino nostalgia. «Sólo a través del conocimiento de la Historia», dice Eliade, «el mito puede ser superado». Y ese conocimiento, que opera en Machado cuando se detiene en la segunda etapa de su itinerario dialéctico, es la causa de su primera negación.

Machado acaba negando u olvidando las míticas galerías, las borra —la palabra «galerías» sólo aparece, en *Campos de Castilla,* en el poema dedicado a Xavier de Valcarce— para sustituirlas por el escenario que sostuvo y los datos que nutrieron su biografía adulta (todo memorizado o reinventado con ayuda de la memoria). Ya no se trata, en esta etapa (y vuelvo a emplear palabras de Eliade) «de un *regressus* por medios rituales (propios del mito), sino de un volver conseguido por el esfuerzo (desmitificador) del pensamiento». La función que antes cumplían las galerías como núcleo aglutinante de la operación de soñar, del acto de la escritura y de la actualización de un vago pasado virginal, queda encomendada ahora a la memoria, concebida como ejercicio mental y voluntario dirigido a la reconstrucción de un tiempo perdido, sí, pero rigurosamente histórico y biográfico, y de un espacio para él lejano, pero geográficamente preciso y real.

Tras la afirmación y la negación, Machado presentará la síntesis de las dos actitudes en *Nuevas canciones.* El transcurso del tiempo ha empujado hacia atrás, acercándola a los oscuros orígenes primeros, la materia concreta de la biografía reconstruida y tratada como tal en *Campos de Castilla.* Los sucesos biográficos, en la lejanía, son vistos ya envueltos en la luz imprecisa que irradian las cosas que empiezan a olvidarse. (Y tengamos presente, a la hora de considerar esta propuesta, las frecuentes e ingeniosas observaciones de Machado acerca del papel fundamental que incluso en el amor desempeña el olvido). En *Nuevas canciones,* además, el poeta es otro o está a punto de ser otros (Mairena, Martín, Machado-pueblo) para los cuales la cronología y la biografía de Antonio Machado Ruiz son algo todavía más distante, anterior o posterior (depende de que nos fijemos en la fecha real en que surgen sus versos o en el período histórico que su creador les atribuye) a su existencia. De ese modo, lo que fue historia se aproxima nuevamente al mito, sólo cobra entidad en los profundos estratos del espíritu.

Esa mutación, ese acercamiento de la historia al mito, está inequívocamente expresada en el poema CLVIII: «Se abrió la puerta que tiene / goznes en mi corazón / y otra vez *la galería / de mi historia* apareció». Lo que era historia próxima en *Campos de Castilla* pierde actualidad a la altura de *Nuevas canciones,* ha sufrido un proceso de desvanecimiento y únicamente puede encontrarse, una vez más, en las galerías del alma.

Machado vuelve así a afirmar lo que ha negado, pero esta afirmación no coincidirá nunca con la primera, a la que en cierto modo sigue negando. Si antes consiguió superar el mito a través del conocimiento de la historia, ahora una nueva forma de sabiduría le impedirá recaer plenamente en él. La meditación, el conocimiento reflexivo de la vida le llevan al escepticismo. Esa realidad anterior y desvanecida que el poeta —convertido ya en personaje, en histrión— evoca, aunque retrotraída *ab origine,* no es capaz de revelar verdad alguna, divina o humana. Lo que fue afirmado primero como mito y negado después como tal, aparece replanteado después como enigma. La realidad evocada, por estar situada fuera del mundo cotidiano e histórico del poeta (quien —insisto— a partir de *Nuevas canciones* es ya otro), podría ser considerada como sustancia mítica; pero al no servir para darle significado y valor a la vida, es inútil; no es mito.

Al detenerme en el tema de las galerías, los sueños y los recuerdos en los distintos libros de Antonio Machado no he pretendido llegar al fondo del asunto, ni —mucho menos— agotarlo; tengo la sospecha de que queda bastante por decir acerca de tan evanescente cuestión, tratada en general de modo parcial y mimético por la crítica, que se obstina —con las naturales y luminosas excepciones, que no faltan, por fortuna— en aislarla dentro del primer libro del poeta. Lo único que he intentado es ilustrar, otra vez, la admirable coherencia de un proceso creativo eminentemente dialéctico, y someter a una especie de prueba elemental mi propuesta comprobando cómo, a través del juego sucesivo de la afirmación, la negación y la síntesis, la ensoñación machadiana —expresada a veces por medio de símbolos imprecisos, a veces por nociones de valor muy concreto— acaba aproximándose a y alejándose de la irrealidad y la realidad, el mito y la historia.

SEGUNDA PARTE:

OTRAS MEDITACIONES
SOBRE MACHADO

I. ORIGINALIDAD DEL PENSAMIENTO DE ANTONIO MACHADO*

* Artículo publicado en *Peña Labra,* núm. 16, Santander, 1975, págs. 27-28. *(N. del E.)*

Parece que la crítica comienza a exaltar, ahora unánimemente, la prosa de pensamiento de Antonio Machado, actitud nueva, justa y sospechosa al mismo tiempo, pues, como es sabido, en nuestro país es prudente preguntarse contra quién van dirigidos los elogios. Es de desear que, al corregir tan injusto desdén hacia el prosista Antonio Machado, no se cometa otra arbitrariedad semejante: la de afirmar al pensador para negar al poeta; opinión que, por disparatada que parezca, comienza ya «casi» a oírse en este año del centenario machadiano.

El hecho es que ya a nadie se le oculta que, con su prosa irónica, directa y eficaz, tan insólita —como señala José María Valverde— entre la prosa «vestida de luces» de Ortega y el «Siglo-de-oro, entreverado de expresiones y clamores un tanto a-la-pata-la-llana» de Unamuno, Machado estaba dando lecciones de buenos modales de pensador, a la vez que estaba anticipando ideas muy importantes, que nadie tomaría en serio hasta que aparecieran en las páginas de otros ilustres autores. Acaso la falta de solemnidad de su lenguaje, la envoltura coloquial con que arropa sus ocurrencias, las frecuentes apelaciones al sentido común y a la sabiduría popular, y también los ribetes —y los rebotes— irónicos e incluso lúdicos con los que afirmaba su escepticismo, estén entre las causas que impidieron que su pensa-

miento haya tenido mayor trascendencia entre nosotros, tan aficionados a las huecas sonoridades de la
retórica oratoria en la que hemos sido educados, y
siempre dispuestos a atribuir a la seriedad del burro
recónditas y profundas motivaciones.

Las anticipaciones o coincidencias de Machado respecto a algunas ideas sustentadas por Heidegger y por el Valéry de Monsieur Teste son ya conocidas. Pero creo que la originalidad y la importancia
del pensamiento de Machado pueden probarse con
otras confrontaciones igualmente sorprendentes. Por
ejemplo, las ideas centrales de Robert Langbaum
acerca del poema considerado como un monólogo
dramático y del poeta como personaje ficticio aparecen ya expuestas en el *Juan de Mairena:*

> Supongamos —decía Mairena— que Sha-
> kespeare, creador de tantos personajes plena-
> mente humanos, se hubiera entretenido en
> imaginar el poema que cada uno de ellos pu-
> do escribir en sus momentos de ocio, como si
> dijéramos, en los entreactos de sus tragedias.
> Es evidente que el poema de Hamlet no se
> parecería al de Macbeth; el de Romeo sería
> muy otro que el de Mercurio. Pero Shakes-
> peare sería siempre el autor de esos poemas
> y el autor de los autores de estos poemas.

Por su parte, Langbaum emplea argumentos
que recuerdan mucho a los de Machado; por ejemplo, al hablar del poeta moderno, nos dice que

> ... *we should rather think of him as a charac-
> ter in a dramatic action, a character who has*

been endowed by the poet with the qualities neces-
sary to make the poem happen to him.

Es cierto que Machado no desarrolló ni llevó hasta sus últimas consecuencias su intuición, y que Langbaum sí lo hizo. Pero también es verdad que la definición como ente imaginario del personaje que nos habla en el poema, «descubierta» por nuestros críticos veinte años después, está ya inequívocamente expuesta en Machado, quien la puso en práctica con la creación de los poetas apócrifos.

También son notables las coincidencias de Machado con algunos teóricos de la escuela danesa de lingüística, que han ampliado al campo de la estilística las ideas de Hjelmslev acerca del signo denotativo. Según esos teóricos, en el signo estético se aprecian, como en el signo denotativo o lingüístico, dos planos: el de la expresión y el del contenido, distinguiendo en cada uno de ellos la forma y la sustancia; la peculiaridad del signo estético radica en el hecho de que, en él, la sustancia de la expresión está constituida por el signo denotativo en su totalidad. Esta idea, expresada con rigor científico por Johansen, y por eso mismo confinada prácticamente en un terreno sólo asequible a los especialistas, fue intuida y expresada con toda claridad por Machado:

> La materia en que las artes trabajan, sin excluir del todo a la música, pero excluyendo a la poesía, es algo no configurado por el espíritu... También le es dado al poeta su material, el lenguaje, como al escultor el mármol o el bronce... Pero las palabras, a diferencia de las piedras, son ya, por sí mismas, signifi-

caciones de lo humano, a las cuales ha de dar el poeta nueva significación... Trabaja el poeta con elementos ya estructurados por el espíritu, y aunque con ellos ha de realizar una nueva estructura, no puede desfigurarlos.

Es decir, la sustancia de la expresión, o —para decirlo con las palabras de Machado— el material que el poeta estructura, es algo previamente estructurado: el lenguaje o signo denotativo, utilizando la terminología de Hjelmslev. Nadie dio a esa precisión ninguna importancia entre nosotros, hasta que en años recientes fueron divulgados algunos aspectos del pensamiento estructuralista.

Aunque no esté en condiciones de mostrarlo, creo que el pensamiento de Machado ofrece otros muchos ejemplos de hallazgos semejantes. Respecto al romanticismo y al simbolismo, me parece que Machado escribió algunas cosas muy penetrantes y nada convencionales, que nunca fueron suficientemente destacadas por sus comentaristas, o por quienes se ocupan específicamente de esos temas. Acaso —repito— la sencillez y la claridad de su exposición hayan conseguido engañar a sus lectores. Pero la claridad y la naturalidad expresivas no están reñidas con la complejidad de lo expresado. Su definición de la poesía como «palabra en el tiempo» es tan elemental que roza la perogrullada. Es algo que —como señala Dámaso Alonso cuando comenta sus ideas acerca de la temporalidad del verbo— cualquiera advertirá sin necesidad de «ser muy zahorí». Y, sin embargo, las posibilidades de glosa que tan sencilla frase ha abierto han sido inmensas, y no parecen todavía agotadas. Porque «palabra en el tiempo» es, quizás ante todo, el acto lingüístico por excelencia, *el habla.* No creo que pueda prescindirse de esa interpretación, pues está explícitamente reforzada por Machado en otros textos, y responde a una de sus más constantes preocupaciones.

Frente al concepto de «lengua», el habla, según Saussure, es un hecho efímero, un acto único estrictamente desarrollado en el tiempo. Lo que también señala la definición de Machado es, con independencia de todo lo que la crítica ha visto en ella, que la poesía es *habla,* o está hecha con el *habla,* y no con otra cosa. Machado no ignora que la poesía, tal como él la concibe y la practica, es «letra escrita»; *otra cosa,* por tanto. Lo que nos está diciendo una vez más y de otro modo es que la escritura poética debe representar al habla, o estar basada en ella. «La poesía escrita me fatiga cuando no me recuerda la espontaneidad de la palabra hablada», reconoce en su proyecto de discurso de ingreso en la Academia.

Con su simple definición de la poesía, Machado está negando la consideración del poema como lenguaje o simbología «espacial» y especial, creado sobre el papel con autonomía absoluta respecto a ese acto efímero, eminentemente temporal, que es el habla. Machado es uno de los últimos y grandes defensores de esa teoría, que él sostiene cuando se está consolidando la consideración del poema como signo autónomo, independiente frente a cualquier realidad, incluso frente a la realidad lingüística.

II. NOTA PREVIA*

---

* Prólogo a la antología de Antonio Machado publicada en la colección Los Poetas (Júcar, Madrid, 1976, págs. 9-16). *(N. del E.)*

Si consideramos la obra de Antonio Machado en su totalidad, podríamos decir —prescindiendo de obvias e improcedentes connotaciones teológicas— que en ella hay tres personas distintas y un solo poeta verdadero. Y cuando digo persona me estoy refiriendo a *personaje dramático,* o *voz* que resuena dentro de una máscara; una máscara que no enmascara, oculta o disimula, sino que más bien revela, amplifica o caracteriza los aspectos diferentes, aunque complementarios e igualmente auténticos —o sea, experimentados en verdad y practicados como verdad—, que componen la figura total de un poeta único.

Es un hecho innegable que, al leer a Machado, percibimos unas veces un soliloquio íntimo que nos revela a un poeta elegíaco y melancólico, ensimismado en la reconstrucción, por medio del ensueño, de un mundo no presente, desvanecido en el pasado; y también escuchamos una voz que interpreta la realidad exterior, preocupada por España y por el tiempo histórico, que afirma y niega cosas, que describe y opina, que se compromete; y además, todavía oímos un discurso meditativo sobre temas trascendentes, expuesto en formas populares y en palabras con frecuencia irónicas que saltan del verso a la prosa y replantean y contrastan algunas de las viejas obsesiones características de las otras voces: el tiempo, el significado final de los sueños, la muerte, el amor, la reflexión sobre el quehacer poético.

Por su parte, la crítica ha coincidido en señalar las notas que distinguen al autor de *Soledades* del de *Campos de Castilla,* y se ha mostrado un tanto dividida y vacilante a la hora de definir y valorar la poesía que Machado escribió a partir de 1917 —en general, por lo que se refiere a juicios de valor, los críticos han manifestado una gran disparidad de criterios: no todos aceptan al poeta en su totalidad.

El propio Antonio Machado confirma, en sus prólogos a las diversas ediciones de sus libros, la realidad de una evolución que le llevó a adoptar posiciones bien diferenciadas; algo, en cualquier caso, perfectamente explicable y natural: los tiempos cambian, y el hombre se modifica con el tiempo. Pero si el Azorín del paraguas rojo quedó definitivamente anulado para la Historia por el Azorín con atuendo de académico, y el fervoroso socialista que había en Unamuno se disolvió para siempre, sin dejar mayores huellas —ni siquiera en su débil calidad de *ex futuro*— en el proceloso espíritu del rector de Salamanca, los distintos personajes que nos hablan desde la poesía de Antonio Machado se conservan enteros todavía, afirmándose y creciendo en su enfrentamiento.

El error de declarar como bueno y auténtico a uno y sólo uno de esos personajes no sería tal si estuviese basado exclusiva y honestamente en preferencias personales —preferencias que, cuando se declaran, no tienen por qué interferir otras lecturas— y se limitase a exaltar el Machado preferido por el crítico de turno. Lo que convierte esa actitud en error es la intención subterránea, pero primordial, de desacreditar las otras voces que expresan también al poeta, hasta llegar a eliminarlas por falsas o equivocadas.

La insistencia en tal error me hace pensar que, antes que de otra cosa, se trata de un acto de mala fe, que tiene poco que ver con la literatura propiamente dicha y mucho con el clima político en el que se desarrolló la cultura en la España posmachadiana. Suprimida por decreto en ese país la división —tan arraigada— entre hombres de izquierdas y hombres de derechas, mas no habiéndose conseguido, pese a la seriedad y al rigor de los intentos, la extinción total del que, para entendernos, llamaré sector más débil o peor alimentado, tanto los unos como los otros, para seguir polemizando —ya que seguían existiendo—, tuvieron que trasladar los argumentos y los temas en litigio desde el plano real de la política —palabra prohibida y peligrosa— a un plano metafórico más inocuo: el del arte, en este caso. Puesto que no había posibilidad de disputar los escaños del Parlamento —entre otras razones, porque no había ni Parlamento— las dos Españas que tan agudamente detectó el propio Machado disputaron los despojos del poeta; disputa que conduciría a la lamentable mutilación de su cuerpo lírico. Tampoco hay nada de extraño en todo ello; a nadie se le oculta la significación política de la cultura, hecho que se advierte con especial relieve en épocas en que a la política se le niega su posible y deseable proyección cultural.

Así, Antonio Machado llegó a ser, más que objeto de crítica, materia de turbia y apasionada polémica, y su obra, más que antologada, fue sencillamente desguazada. Para aclarar ciertos aspectos de la deformación a que fue sometida, y especialmente para que a nadie se le ocurra dar a mis palabras un sentido que no tienen, son todavía necesarias algunas puntualizaciones.

Es bien sabido —y el hecho fue y sigue siendo suficientemente señalado— que durante los pasados años, los partidarios de una estética social realista admiraron en Antonio Machado al poeta didáctico y crítico, preocupado por el tiempo histórico, reflexivo y solidario, destacaron —no me atrevería a decir que con excesos— al hombre ejemplar que supo compartir con dignidad la derrota de unos ideales que, sin duda, había asumido. Tal posición crítica no facilitó, ciertamente, la mejor comprensión de la poesía de Antonio Machado. Pero, aunque pueda no gustar a algunos y parecer innecesaria a otros, politizar la figura de Machado es tarea fácil, yo diría que natural; para lograrlo no hace falta deformar nada: la Historia y la realidad social de España están ahí, integrando vida y obra, marcándolas con un signo inequívoco que nadie puede negar sin mentir.

Por otra parte —y esto, en cambio, apenas se ha dicho—, igualmente empobrecedora resultaba la actitud contraria. Los que veían como indeseable y peligrosa la presencia de Antonio Machado en uno de los bandos que protagonizaban la metafórica polémica lírico-política, no vacilaron en afirmar que el único y gran Machado era el poeta intimista de su primera época; y en la imposibilidad de atribuir sus ideas y sus versos posteriores a arrebatos juveniles, hablaron de decadencia o intentaron reducir a errores seniles el resto de su obra y la significación, que, al ganar madurez, fue cobrando su vida. El daño, en este caso, no sólo constituía una ofensa a las siempre dudosas leyes de la estilística, sino también a la verdad y a la ética. Porque aquellos «historiadores» de la literatura hicieron algo más que omitir: trataron de distorsionar la significación de la obra de Machado, intentaron falsificar su biografía, y de paso justificaron y alentaron el celo de los censores.

Al margen de las confusiones deliberadamente creadas, las preferencias parciales respecto a una obra tan compleja son acaso, más que legítimas, inevitables. Sin embargo, me parece que el conjunto tiene un sentido, y que harán mal el lector y el antólogo que prescindan de alguna de sus partes. Porque entre tanta diversidad hay una unidad profunda. Las distintas voces o personajes que percibimos en los poemas de Machado componen un todo único, del mismo modo que los diferentes movimientos de una sonata integran una sola forma indivisible.

En mi opinión, la obra poética de Machado debe su íntima coherencia a su constante comportamiento dialéctico. Machado parte —*Soledades*— de la afirmación de un mundo subjetivo y de una actitud introspectiva, desde la que pasa dialécticamente a afirmar —*Campos de Castilla*— lo contrario: la realidad exterior, para llegar a una síntesis final —*Nuevas canciones* y *De un cancionero apócrifo*— que reafirma la primera persona, ahora del plural, convertida en un efectivo *nosotros* mediante la adición de otros personajes al viejo *yo* que protagonizaba los libros anteriores; un *nosotros* del que en ocasiones la primera persona singular parece incluso ausentarse con el fin de dejarlos solos a *ellos*, a sus complementarios —Martín y Mairena fundamentalmente—, y del que también forma parte ese impreciso ser colectivo llamado pueblo, en el que Machado creía, y cuya presencia revela el tono sentencioso, el uso de lugares comunes y de coloquialismos (lo que Machado llama, al hablar de Cervantes, «lengua hecha»), y sobre todo el insistente empleo de inconfundibles fórmulas procedentes del folklore. Como se ve, no es tanto *lo que dice* (el plano del contenido), sino *la manera de decir* (el plano de la expresión) lo que individualiza a los diferentes personajes machadianos.

Todo ese proceso evolutivo de su poesía, reducido aquí a un esquema demasiado elemental, está descrito con más detalle (y espero que de forma más convincente), en el estudio que se publica en otro volumen de esta misma colección.[*] Si me he decidido a exponerlo en términos tan simplificadores es porque la presente *Antología* pretende respetar ese temple dialéctico que impulsa a Machado a configurar el argumento de sus ideas y de sus intuiciones por medio de afirmaciones seguidas de negaciones que, antes que destruir la primera afirmación, le confieren un nuevo sentido. Eso puede explicar, al menos en parte, el carácter cambiante, la misteriosa movilidad de su poesía.

Dicho de otro modo: la obra en verso, relativamente breve, de Antonio Machado forma un conjunto —en el sentido estricto que los estructuralistas le dan a esa palabra— que es algo más que la suma de sus partes: un verdadero sistema en el que cada poema, con pocas excepciones, modifica a los restantes y es alterado por ellos, depende de una compleja red de relaciones internas que él mismo

---

[*] Se refiere al libro *Antonio Machado* recogido en este volumen. *(N. del E.)*

contribuye a crear y de la que recibe su plena significación.

Se puede argüir que ése es un principio general, válido para las obras de todos los grandes poetas;
pero tal principio no se cumple siempre de igual
modo ni produce los mismos resultados. Porque, como Machado dice por medio de Juan de Mairena,
«hay escritores cuyas palabras parecen lanzarse en
busca de las ideas; otros cuyas ideas parecen esperar
las palabras que las expresen». En la obra de los primeros, marcada por el signo de la abundancia, si los
poemas, dentro del conjunto en el que se producen,
repercuten los unos en los otros, es por regla general
para enturbiarse y perder significación, no para es-
clarecerse y ganarla. La persecución de las ideas por
medio de la «suelta» masiva de palabras no da buenos resultados siempre, o no suele darlos al primer
intento. En las poesías completas de los grafómanos
o —para emplear una palabra no peyorativa— de los
escritores caracterizadamente prolíficos, los mejores
logros aparecen casi siempre envueltos —a veces con-
fundidos u ocultos— en espesos racimos de tentati-
vas frustradas, seguramente necesarias en el proceso
de creación para llegar al hallazgo, pero inútiles ya, y
con mucha frecuencia incluso contraproducentes, de
cara al lector. Y no me estoy refiriendo a la obra de autores mediocres, sino a la de grandes y auténticos poetas: piénsese en Juan Ramón Jiménez, en Miguel de
Unamuno...

Por el contrario, cuando el gran poeta —como Machado recomienda— «sabe esperar, aguarda»
a que las palabras acudan a la idea, esas escasas palabras necesarias suelen ser definitivas e insustituibles,
se enriquecen mutuamente, y todas o casi todas con-

III. «AZUL» Y LA POESÍA ESPAÑOLA
DEL SIGLO XX*

*Artículo publicado en la *Revista Hispánica Moderna,* año XLII, diciembre, Nueva York, 1989, núm. 2, págs. 127-135. *(N. del E.)*

do modernismo a lo que se ha venido llamando *modernismo*.

Creo que fue Juan Ramón Jiménez el gran responsable del cambio semántico que, hacia los años treinta, sufrió el término «modernismo». Para Juan Ramón Jiménez, el modernismo no había sido una escuela, ni una tendencia, ni una corriente, sino una época. En su opinión, toda la literatura escrita durante un período de cien años, en el que hay que incluir los treinta primeros del siglo xx, debe ser calificada de modernista. Esta desmesurada ampliación de los límites del modernismo conduce, más que a su definición, a su disolución; disolución que, siempre lo he sospechado, era lo que acaso pretendía en último término Juan Ramón Jiménez para así diluir también, cuando el título modernista comenzaba a ser un honor muy dudoso, su entusiasta y prolongada adhesión —hasta 1915, al menos— a una literatura esteticista cuya raíz parnasiana nunca consiguieron desvirtuar ciertos y muy oportunos toques romántico-simbolistas. En un momento en el que todos los grandes poetas españoles de su tiempo, Antonio Machado el primero, habían abandonado la nave modernista, la posibilidad de quedarse a solas con Francisco Villaespesa en un largo capítulo de la historia de la literatura española debió de aterrorizar a Juan Ramón, que apeló al expeditivo procedimiento de incluir todo y a todos en un único compartimento para borrar distinciones que comenzaban a serle incómodas.

Este ensanchamiento un tanto arbitrario del significado de un término que hasta entonces se había utilizado en función de ciertas actitudes estéticas y de determinados rasgos temáticos y estilísticos muy concretos,* encontró pronto eco favorable en no pocos especialistas y eruditos con mentalidad de terrateniente, que no estaban dispuestos a renunciar a la riqueza que Juan Ramón Jiménez les había metido en *su campo*. En ocasiones, los argumentos utilizados en apoyo de la tesis de Juan Ramón Jiménez parecen más bien infantiles. Así sucede, por ejemplo, cuando Ivan Schulman dice que «además, si se reduce el modernismo a la estética de esos dos libros (*Azul* y *Prosas profanas*), rechazamos necesariamente una porción relevante de la obra madura de Rubén Darío (...), y se desdora el modernismo»**. Por supuesto, es un grave error de principio situar la obra de Darío exclusivamente dentro del marco del modernismo, marco que el poeta rompe y desborda por todos sus lados. Reconocer este hecho no implica ningún rechazo de «esa porción relevante» de su obra madura; por el contrario, confirma la grandeza del poeta. Más inconcebible es apelar al argumento de un supuesto «desdoro» del modernismo, pues no es misión de la crítica dorar ni desdorar escuelas o movimientos, sino intentar definirlos en lo que realmente fueron.

Esas tomas de posición serían absolutamente intrascendentes y no merecedoras de mayor comentario, por lo menos por mi parte aquí y ahora, si

---

* Esta restringida concepción del modernismo parece compartirla el propio Darío cuando, en *Historia de mis libros*, dice que muchos, «al aparecer *Cantos de vida y esperanza*, echaron de menos el tono matinal de *Azul* y la princesa que estaba triste en *Prosas profanas*, y los caprichos del siglo XVIII, mis queridas y gentiles versallerías, los madrigales galantes y preciosos y todo lo que, en su tiempo, sirvió para renovar el gusto y la forma y el vocabulario de nuestra poesía». *(N. del A.)*

** Ivan Schulman, «Reflexiones en torno al modernismo», en *El modernismo*, edición de Lily Litvak, Taurus, Madrid, 1975, pág. 80. *(N. del A.)*

«a la manera de» se muestra al fin como un poeta
original y verdadero?

En primer lugar, el paso a *Azul* desde *Rimas*
y *Abrojos* es consecuencia lógica de un proceso de
maduración que se advierte no sólo en la afirmación
de una personalidad inconfundible y propia sino
también en el rigor y el acierto con que Darío selec-
ciona ahora los inevitables puntos de apoyo en una
tradición —la española— que, pese a sus limitacio-
nes, le permitiría ser él mismo, expresarse con segu-
ridad y originalidad plenas.

Insisto: la tradición en la que se insertan los
poemas del *Azul* de 1888 sigue siendo española. Sólo la segunda edición, de 1890, delata con certidum-
bre que Rubén comienza a escribir a la sombra del
parnaso francés. Lo que ocurre es que en el primer
Azul ya no hay mimetismo —manifestado antes muy
directamente respecto a Campoamor, sobre todo,
y a Bécquer—, sino asimilación y enriquecimiento
de los escasos elementos valiosos susceptibles de desarrollo que ofrecía la poesía española posterior al
Siglo de Oro. Precisar alguno de los elementos que
Darío recoge y modifica dentro de esa tradición, y
valorar lo que él le aporta con su genio, es uno de los
fines centrales de este trabajo.

En *Azul*, Rubén Darío desdeña el fabulismo
con moraleja del siglo XVIII (que todavía apunta con
ribetes campoamorianos en el final de los poemas «Estival» y «Ananké») y la retórica neoclásica y utilitaria
de Quintana. Recoge en cambio las formas de romance octosílabo y heptasílabo características de Meléndez Valdés, y algo del espíritu que las informaba.
Pedro Salinas advirtió la potencialidad renovadora
subyacente en el personalísimo uso que del romance

hizo Meléndez. Dice Salinas: «Pocos poetas más importantes en esa faena de aviar el romance hacia el lirismo que Meléndez Valdés. (...) En sus romances de naturaleza ya se proclaman las nupcias de los dos mundos, el del hombre y el que lo circunda, enlazados en una comunidad de sentir del poeta»[*]. Pues bien; nadie como Rubén Darío actualizó tan fiel y eficazmente esa doble potencialidad de lirismo y de integración de lo humano en el mundo natural. En «Pensamiento de otoño», romance heptasílabo, pese a la mención al escritor francés Armand Silvestre, encontramos el erotismo entrañado en un idealizado sentimiento de la naturaleza que define los romances y romancillos anacreónticos de Meléndez Valdés. Lo mismo ocurre con «Primaveral», romance octosilábico de clima bucólico en el que «una naturaleza estilizada de fuentes, arroyuelos, flores y guirnaldas, arrullada por delicadas aves canoras, sirve de marco al triunfo del dios omnipotente en los juegos deliciosamente atrevidos de los amantes»[**]. Estas palabras de Juan Luis Alborg están realmente dedicadas a Meléndez Valdés, pero, si rebajamos el atrevimiento y prescindimos de las guirnaldas, resultan aplicables con la misma justeza al romance y al romancillo que aparecen en la primera edición de *Azul*.

No sería difícil, y tal vez alguien lo haya hecho ya, demostrar las coincidencias entre el Rubén de «El año lírico» y el poeta extremeño que convir-

[*] Pedro Salinas, «El romanticismo y el siglo XX», en *Ensayos de literatura hispánica,* Aguilar, Madrid, 1967, pág. 331. *(N. del A.)*
[**] J. L. Alborg, *Historia de la literatura española,* Gredos, Madrid, 1972, vol. III, pág. 451. *(N. del A.)*

octosílabos movilidad y posibilidades expresivas insospechadas. Un verso que, por su reiteración, siempre está al borde de la monotonía, vuela como el pájaro, ondea como «el perfume de amor», se detiene en su centro para precipitarse con energía (o recaer con levedad) sobre el siguiente. El instinto rítmico de Darío, como se ve, no necesitaba de apoyaturas exóticas para manifestarse en toda su grandeza. Y es curioso que estas novedades, que por su radicalidad pueden calificarse de invenciones, aunque al lado de lo que supusieron otros experimentos métricos suyos puedan en nuestros días parecer tímidas a un observador superficial, son las que más duradera huella dejaron en la poesía española. Juan Ramón Jiménez dice con orgullo que en su libro *Rimas* encontró lo que él llama «mi romance exclusivo». Pues bien; la lectura de *Azul* prueba que el único que con pleno derecho podría llamar «suyo» a ese romance nuevo, flexible y dinámico, tan adecuado para adaptarse a la movilidad anímica del poeta, es Rubén Darío. Desde él pasó en efecto —quién sabe si a través de Villaespesa— a Juan Ramón, y vive todavía en escritores españoles rigurosamente contemporáneos, como (para poner sólo un ejemplo) José Hierro, el poeta de posguerra más afectado en aspectos métricos y rítmicos por la poesía del nicaragüense.

En cuanto al siglo XIX español, el primer Rubén Darío había hecho ensayos en Bécquer y había repetido al en su día inevitable y omnipresente don Ramón de Campoamor. Sólo en *Azul* creo advertir que Darío, más selectivo en la elección de modelos, ha sido un lector puntual, atento y receptivo de *En las orillas del Sar,* uno de los libros más originales e intensos de la poesía posromántica en lengua castellana, publicado en 1884. Hay un poema en *Azul,* «Invernal», que me trae inequívocamente a la memoria otro del libro de Rosalía de Castro. Se trata del poema sin título que comienza con los versos siguientes: «Cenicientas las aguas, los desnudos / árboles y los montes cenicientos...». Los textos que en mi imaginación relaciono son, en algunos rasgos, más que diferentes, opuestos. Erótico sin mayor trascendencia y diseñado sobre un fondo urbano, el de Darío. Rural y hondamente meditativo, el de Rosalía. En principio, destaca un llamativo tema compartido y central: el invierno. Ese tema o motivo es la situación determinante de la escritura de ambos poemas, aunque en cualquier caso, por tópico, es insuficiente por sí mismo para decidir un parentesco. Pero hay otros datos que lo justifican. En primer lugar, la localización muy precisa de un escenario real en el arranque de cada poema. La poeta gallega no necesita apelar a topónimos para decirnos dónde se encuentra cuando escribe, pues el lugar está ya determinado desde el título del libro: en las orillas del Sar; le basta pues con dar unas notas del paisaje para situarnos «allí»:

> *Cenicientas las aguas, los desnudos*
> *árboles y los montes cenicientos;*
> *parda la bruma que los vela, y pardas*
> *las nubes que atraviesan por el cielo...*

El nicaragüense debe en cambio nombrar una cordillera para indicar con precisión el sitio donde se encuentra:

> *Noche. Este viento vagabundo lleva*
> *las alas entumidas*

y heladas. El gran Andes
yergue al inmenso azul su blanca cima.

Los dos poemas destacan el paso del viento, y anotan con cuidado la presencia de un elemento meteorológico característico de la estación; lluvia y nieve respectivamente. Acto seguido, tras fijar el escenario, ambos poetas pasan a describir los seres que lo pueblan; un labrador, un perro y algunas aves en el poema de Rosalía de Castro:

Seguido del mastín, que helado tiembla,
el labrador, cubierto
con su capa de juncos cruza el monte;
el campo está desierto,
y tan sólo en los charcos que negrean
del ancho prado en el verdor intenso
posa el vuelo la blanca gaviota
mientras graznan los cuervos.

Lo que transcurre en la ciudad invernal es más variopinto y alegre, aunque no falta una alusión a los desposeídos, a través de una figura más convencional (genérica, sin atributos) que la más realista presentada por Rosalía de Castro:

en la ciudad los delicados hombros
y gargantas se abrigan,
ruedan y van los coches,
suenan alegres pianos, el gas brilla
y si no hay un fogón que le caliente,
el que es pobre tirita.

Como es lógico, son muy distintas las realidades que pueblan uno y otro paisaje, pero al margen de todo lo que las separa se aprecian sutiles correspondencias: en el monte, el labrador se cubre «con su capa de juncos»; en la ciudad, «los delicados hombros se abrigan»; en un escenario, «el mastín tiembla»; en el otro, el «pobre tirita». Si «el vuelo (de) la blanca gaviota» dinamiza los versos de Rosalía, en los de Darío cumplen esa función los coches que «ruedan y van»; mientras en el paisaje rural «graznan los cuervos», en el paisaje citadino «suenan alegres pianos». Todo muy diferente, sí; pero todo se corresponde, todo se comporta de un modo semejante, dibujando trayectorias paralelas.

A esas coincidencias hay que añadir otras aún más significativas, relacionadas con la situación y las actitudes o puntos de vista de los respectivos personajes poéticos que ambos textos definen. Tras esos versos introductorios de ambientes muy concretos, la coincidencia tal vez más relevante se produce con motivo de la brusca aparición del poeta, representado por un «yo» que abre el verso inicial de un nuevo apartado en cada composición. Dice Rosalía:

Yo desde mi ventana,
que azotan los airados elementos
regocijada y pensativa escucho
el discorde concierto...

Y Rubén:

Yo estoy con mis radiantes ilusiones
y mis nostalgias íntimas
junto a la chimenea

bien harta de tizones que crepitan.
Y me pongo a pensar...

Quiero llamar la atención, aunque tal vez sea innecesario, sobre el paralelismo con que los dos poetas expresan una situación semejante —la contemplación real o imaginada desde un recinto interior de un paisaje invernal con figuras: «Yo desde mi ventana (...) pensativa»; «Yo (...) junto a la chimenea (...) me pongo a pensar». Y todavía otro detalle mínimo que, por producirse en una red tan espesa de coincidencias, puede no ser atribuible al azar. Rosalía de Castro percibe el paisaje por el oído: «Escucho —nos dice— el discorde concierto...». Y Darío nos hace oír más que ver el fuego cuando nos habla «de tizones que crepitan».

Finalmente, la aceptación gozosa y en principio paradójica de tan inclemente estación por parte de los dos poetas corona, y en mi opinión confirma, toda esa larga serie de coincidencias. Leamos a Rosalía:

¡Oh, mi amigo el invierno!
Mil y mil veces bienvenido seas,
mi sombrío y adusto compañero.
¿No eres acaso el precursor dichoso
del tibio mayo y el abril risueño?

Es inevitable recordar esos versos cuando, en un contexto plagado de coincidencias, leemos los siguientes de Darío:

¡Oh, viejo invierno, salve!
Puesto que traes con las nieves frígidas

al amor embriagante
y el vino del placer en tu mochila.

Lo que hay de paradójico en la aceptación entusiasta del invierno se resuelve de modo idéntico en los dos ejemplos en atención a lo que el invierno anuncia o trae: el sueño del eterno retorno en Rosalía de Castro, y el regreso de un sueño de amor en Darío. Añadiré una última coincidencia, a mi modo de ver tampoco desdeñable: los dos poetas usan la misma forma, la silva asonantada.

Cualquier poeta con experiencia sabe que los poemas leídos con la intensa pasión admirativa propia de la juventud (pasión y admiración que se desgastan con el tiempo), se integran en el lector y suelen aflorar inesperada e inconscientemente, si el lector es poeta, en su escritura. Tal podría ser el caso del poema «Invernal» de Rubén Darío respecto al comentado texto de Rosalía de Castro. Y si las cosas son como a mí me parece, si hubo por parte del joven Darío esa lectura admirativa de Rosalía de Castro que el poema «Invernal» insinúa, no es gratuito suponer que en las posteriores innovaciones métricas que el nicaragüense consolidará en la poesía escrita en lengua española hubiesen tenido algún papel los experimentos que, en esa misma dirección, había llevado a cabo algunos años antes la poeta gallega.

Se me puede objetar que todo esto son meras hipótesis; pero hipótesis —respondo yo— fundamentadas en la cuidadosa comparación de dos textos que presentan evidentes coincidencias, demasiadas para ser casuales.

En cualquier caso, las señaladas coincidencias, si son algo más que producto del azar, sirven para demostrar que el Rubén Darío de *Azul* introduce siempre en lo que incorpora algunas de las novedades características de lo que será la corriente modernista; en el ejemplo de «Invernal», lo nuevo es el erotismo refinado y decadente, el lujo y la pedrería, el tema urbano, el cosmopolitismo, la mitología grecolatina. En esos aspectos, «Invernal», composición por otra parte extensa y prolija, no tiene nada que ver con el breve y denso poema de Rosalía de Castro. Tal vez las llamativas diferencias enmascaren y hagan difíciles de advertir las notables afinidades que ambos textos presentan en su estructura profunda, pero no las destruyen en manera alguna.

«El año lírico», la serie de cuatro poemas en verso publicada en la primera edición de *Azul,* ejerce sobre la mejor poesía española del siglo XX una influencia cuya importancia, me parece, no ha sido todavía justamente valorada. Se ha hablado, por ejemplo, de las repercusiones más llamativas de la obra del nicaragüense en la poesía de Antonio Machado: rachas de retórica inconfundible, ritmos y metros, la especial configuración de ciertas imágenes y metáforas. Todo eso, que no define siempre al Machado más valioso, no procede del *Azul* de 1888, sino de libros posteriores. En cambio, una de las más hondas y delicadas zonas del poeta sevillano tiene un antecedente clarísimo y a mi modo de ver decisivo en el poema «Autumnal». Fijémonos en los siguientes versos de ese poema:

> *En las pálidas tardes*
> *me cuenta un hada amiga*
> *las historias secretas*
> *llenas de poesía;*

> *lo que cantan los pájaros,*
> *lo que llevan las brisas,*
> *lo que vaga en las nieblas,*
> *lo que sueñan las niñas.*

¡Qué familiares, qué machadianos antes de Machado nos resultan ahora esos versos! Casi cada uno de ellos dibuja una imagen que evoca otra imagen configuradora y recurrente en el mundo mágico y evanescente de *Soledades:* los sueños de los niños, las brisas portadoras de perfumes y mensajes que con tanta frecuencia estremecen levemente los versos de Antonio Machado. Las «historias secretas» que el hada le cuenta a Darío, ¿no son las mismas que Machado encuentra en las «secretas galerías» del poema LXX, esas galerías donde le aguardan «las hadas silenciosas de la vida» que un día llevarán al poeta «hacia un jardín de eterna primavera»?

Para comprender la presencia de «Autumnal» en este y otros poemas de Machado es preciso tener en cuenta el comportamiento del hada aportada por Darío, creadora del mágico escenario en el que se materializan los sueños y las aspiraciones del poeta; reproduzco, muy fragmentariamente, algunas secuencias reveladoras:

> *Dije al hada amorosa:*
> *—Quiero en el alma mía*
> *tener la inspiración honda, profunda...*
> *(...)*
> *Ella me dijo: —Ven —con el acento*
> *con que hablaría un harpa. En él había*
> *un divino idioma de esperanza.*
> *¡Oh sed del ideal!*

Sobre la cima
de un monte, a medianoche,
me mostró las estrellas encendidas.
(...)
Y dije: —Más... Sonriendo,
la celeste hada amiga
prorrumpió: —¡Y bien! ¡Las flores!
Y las flores
estaban frescas, lindas...
(...)
Y dije: —¡Más!
El hada entonces me llevó hasta el velo
que nos cubre las ansias infinitas...
(...)
Y lo rasgó. Y allí todo era aurora.
En el fondo se veía
un bello rostro de mujer...

Pocas dudas pueden caber de que «Autumnal» estaba, con toda probabilidad de manera no consciente, en el fondo de la memoria de Antonio Machado cuando éste escribía su «Sueño infantil» (poema LXV). He aquí algunas estrofas del poema que sirven para acreditar lo dicho:

Una clara noche
de fiesta y de luna,
noche de mis sueños,
noche de alegría,
(...)
el hada más joven
me llevó en sus brazos
a la alegre fiesta
que en la plaza ardía.

> *So el chisporroteo*
> *de las luminarias,*
> *amor sus madejas*
> *de danzas tejía.*
> *(...)*
> *Todos los rosales*
> *daban sus aromas,*
> *todos los amores*
> *amor entreabría.*

Las coincidencias entre los dos poemas son muy notables desde el primer verso de cada uno de ellos: «En las pálidas tardes...» (Darío), «Una clara noche...» (Machado); «¡Ah los dulces sueños» (D.) «Noche de mis sueños» (M.); «me cuenta un hada...» (D.), «el hada me llevó...» (M.); «sobre la cima... estrellas» (D.), «so... las luminarias» (M.); «y las flores... empapadas de olor» (D.), «Todos los rosales daban sus aromas» (M.); «rasgó (el velo y se veía) un bello rostro de mujer» (D.), «Todos los amores... entreabría» (M.). Una última coincidencia: los dos poemas riman en «í-a»; pequeño detalle no tan insignificante como a algunos pueda parecerles.

«Autumnal» no sólo prefigura claramente las misteriosas «galerías del alma», sino también la forma peculiar con que Machado se relaciona con ellas y accede a ellas. «Ven», le dice el hada al personaje de «Autumnal» antes de poner frente a sus ojos un escenario de sueños. «¿Vendrás conmigo...?», le dice el demonio-ángel de sus sueños al personaje machadiano en el poema LXIII; y en el LXIV, «¿Vendrás conmigo?», le repite «la buena voz» en el umbral mismo de una «larga, escueta galería». Antonio Machado no debía ignorar que, cuando uno penetra en el turbio recinto de los sueños y los recuerdos olvidados, puede encontrar sorpresas muy desagradables. De ahí la sustitución ocasional del hada de Darío por un ángel demoniaco.

Creo que esos detalles, que no pueden ignorarse, le confieren a la influencia de Darío sobre Machado una muy especial relevancia. En *Azul* encuentra Machado el punto de partida que le conducirá a la zona más honda y misteriosa de su obra. El modernismo de escuela de «Autumnal», ya insinuado desde el título, es llevado por el poeta andaluz a regiones más puras y trascendentes, eliminando algunos elementos que eran o llegarían a ser tópicos —dedos de rosa, harpas, jardines de oro, azucenas volúbiles, piérides y otros esdrújulos—, y metamorfoseando con certero instinto el hada en un ángel-demonio o simplemente en «la buena voz, la voz querida». Esa operación de limpieza y depuración, que el propio Darío acometerá a su debido tiempo, acredita el talento de Machado sin disminuir en nada y para nadie la trascendencia y el genio del poeta americano.

De «El año lírico» queda sólo un poema sin comentar: «Estival». Renuncio, para no extender demasiado estas notas, a exponer detenidamente todo lo que en mi opinión aporta a la poesía española moderna la tigresa que vive un memorable episodio impregnado de muerte y erotismo elemental. «La tigre de Bengala» y el fondo sobre el que destaca —esa selva poblada por animales hermosos y crueles: la negra águila enorme, el gran caimán, el elefante, la víbora que convive con el ave dulce y tierna, incluso el insólito canguro que le da al paisaje bengalí un toque fantástico y *naif* que lo acerca a los cuadros del aduanero Rousseau—, cobran una significación inesperada si lo ponemos en contacto con una zona, la más bella y original a mi modo de ver, de la obra de Vicente Aleixandre. El lenguaje surrealista de Aleixandre es muy diferente del de Darío. Pero tal diferencia no debe impedirnos considerar todo lo que probablemente deben a ese poderoso y animado friso de *destrucción o amor* la cosmovisión aleixandrina y de modo especial alguna composición concreta, como «La selva y el mar»; deuda nada extraña si se tiene en cuenta que Aleixandre descubrió la poesía en un libro de Darío que le prestó en su adolescencia Dámaso Alonso: «Aquella verdaderamente virginal lectura —reconoce Aleixandre— fue una revolución en mi espíritu»[*].

Creo que los ejemplos de «Autumnal» y «Estival» demuestran que la influencia de Darío en España no comienza con los versos parnasianos escritos a partir de la segunda edición de *Azul* ni se acaba, según suele creerse, en la obra de los poetas novecentistas. Sus efectos en la poesía española del siglo XX son, ya desde *Azul,* más hondos y duraderos de lo que algunos críticos y poetas —como Luis Cernuda, por ejemplo— quisieron hacernos ver.

La música parnasiana fue la más llamativa, pero también la más superficial y efímera —incluso perturbadora en bastantes aspectos— aportación del modernismo a la reciente tradición lírica en castellano. Lo que Darío obtuvo a partir de esta tradición se percibe ahora como mucho más valiosa. No sé si será oportuno recordar aquí el conocido *dictum*

[*] V. Aleixandre, Prólogo a *La destrucción o el amor,* en *Obras completas,* Aguilar, Madrid, 1978, pág. 520. *(N. del A.)*

de Eugenio d'Ors. Pero tal vez sea conveniente glosar al famoso glosador en esta época tan pródiga en traductores más o menos clandestinos, y concluir que en poesía —arte que, como desde Mallarmé es bien sabido, se hace con palabras— todo lo que es *traducción* corre el riesgo de convertirse en plagio.

IV. LAS OTRAS SOLEDADES DE ANTONIO MACHADO*

* Discurso leído el día 23 de marzo de 1997 en la Real Academia Española, en su recepción pública, por el Excmo. Sr. Don Ángel González. (N. del E.)

Señores Académicos:

Como es bien sabido, Antonio Machado, académico electo desde 1927, comenzó a escribir un proyectado discurso de ingreso en la Academia Española hacia 1929, e interrumpió su redacción definitivamente en 1931 por razones que se desconocen, aunque yo creo que pueden deducirse del preámbulo de ese proyecto.

En ese texto inacabado (1.777)*, las primeras palabras de Machado son para expresar la «muy alta idea» que tiene de la Academia, y para confesar que se siente demasiado honrado por la elección: un honor en su caso desmedido y perturbador. Tras esas declaraciones, pasa el poeta a hacer algunas consideraciones un tanto inesperadas y ambiguas acerca de su aspiración a vivir de realidades que no estén en pugna —dice textualmente— «con la norma ideal que habíamos sacado de nuestra experiencia». ¿Insinúa Machado que la condición de académico podría ser una de esas realidades que pugnan con su norma ideal? Como aclara enseguida, el ingreso en la Academia le plantea efectivamente un conflicto

---

* Los números entre paréntesis remiten a las páginas en que se encuentran las palabras citadas, o los artículos donde aparecen; referencia: Antonio Machado, *Poesía y prosa*, edición crítica de Oreste Macrì, Madrid, 1989. *(N. del A.)*

entre la realidad y el ideal, pero son las deficiencias de su propia realidad, y en ningún caso las atribuibles a la Academia, las que establecen ese desajuste: Antonio Machado no cree tener «las dotes específicas del académico». Y para acreditar su falta de cualidades presenta un desastroso historial de deméritos que justificaría, no ya la revocación de su nombramiento académico, sino la expulsión del instituto de segunda enseñanza donde daba clases. Él no es humanista, ni filólogo, ni erudito; sus letras son pobres; ha olvidado casi todo lo que ha leído; las bellas letras nunca le apasionaron, etcétera. Es evidente que Machado no está diciendo la verdad: el desarrollo posterior de su discurso, tan rico en erudición e ideas originales, lo desmiente.

«No se achique usted tanto, señor Rodríguez. Agrada la modestia pero no el propio menosprecio» (1.916), dice Juan de Mairena a uno de sus más aventajados discípulos, que había comenzado en semejantes términos un ejercicio de retórica. Yo sospecho que Mairena se estaba riendo del académico electo, que se autodenigra de modo tan inmisericorde como injusto, aunque, en mi opinión, con una intención benemérita: disimular, para no ofender a la institución que le había abierto las puertas, su falta de simpatía por lo académico, que en otras ocasiones no tuvo empacho en declarar. «Pasé por el Instituto y la Universidad», escribe en 1913 a Juan Ramón Jiménez, «pero de estos centros no tengo huella alguna, como no sea mi aversión a todo lo académico» (1.521).

Más o menos repite ese juicio en carta a Ortega (1.514), en la que incurre en otras imprudencias: además de decirle que la vida «la calle, el ca-

fé, el teatro, la taberna», es «algo muy superior a la
universidad», comete el doble error de llamarlo
«maestro», y de elogiar la obra de «el gran Menéndez Pelayo». Con nada de eso está de acuerdo Ortega,
que —abriendo un largo capítulo de desavenencias
con el poeta, del que daré noticia más detallada— le
expresa su disgusto a vuelta de correo: el desdén por
la universidad puede implicar desdén a su persona, la palabra «maestro» connota vejez, y de Menéndez Pelayo no es partidario. Desde entonces Machado llamará a Ortega «joven maestro» y rebajará su
entusiasmo por don Marcelino, pero reafirmará, siempre que a mano venga, su aversión por la universidad. «El árbol de la cultura», insiste tercamente
Mairena, «no tiene más savia que nuestra propia
sangre, y sus raíces no habéis de hallarlas sino por
azar en las aulas de nuestras escuelas, Academias,
Universidades, etcétera» (2.098).

Esta digresión inicial viene a cuento porque
de Machado voy a hablar después, y también porque me da pie para decir en nombre propio algo
acerca de la Academia. El desdén por la Academia
fue —ya no parece serlo— muy común entre los
jóvenes, que veían en ella la representación de lo
obsoleto y muerto; actitud contrapuesta a la de aquellos que, generalmente al acercarse a la senectud
—aunque haya habido casos de notable precoci-
dad—, aspiran a sentar plaza de académico para ganar la consideración social que sus propios méritos
no les deparan.

Ninguna de esas actitudes es, o fue, la mía.
Yo nunca me sentí tan joven como para mancillar
con líquido amarillento los muros exteriores de este
edificio, como se cuenta que hicieron ciertos jóve-

nes poetas que cuando dejaron de ser jóvenes ocupa-
ron lugares muy destacados dentro de él, ni tan viejo
como para cifrar mis ambiciones en el tratamiento
de excelentísimo señor.

Para mí la Academia representó siempre lo
que yo creo que en verdad es: una institución imprescindible que se ocupa con seriedad y competen-
cia de algo que nunca dejó de apasionarme: la palabra.

Buscar o encontrar palabras, seleccionarlas,
sopesarlas, medirlas: tal es la tarea que le da especi-
ficidad al trabajo del poeta; en esencia, la poesía
es eso: palabra elegida. De ahí mi vieja e incurable
adicción a los diccionarios.

Ya sé que la poesía no se hace a partir de los
diccionarios; pero, así como Miguel Ángel pensaba
que un bloque de mármol contiene todas las formas que el artista puede concebir, yo también creo
que todos los textos que un poeta puede imaginar
están implícitos en esos gruesos y sustanciosos vo-
lúmenes, a los que algunos dan justamente el nombre de «tesoros».

Formar parte de la Real Academia Española
es en mi concepto un honor, y como tal acepto y agradezco la invitación a entrar en ella. Pero, al margen
del honor, ingresar en esta Academia supone para
mí el privilegio y la alegría de penetrar en el recinto
del tesoro.

Porque agradezco más las alegrías que los
honores, reitero mi sincera gratitud a quienes pre-
sentaron mi candidatura, a los que la apoyaron con
su voto y a todos los que hoy me aceptan como uno
de los suyos.

El honor conlleva una grave responsabilidad.
Vengo a suplir en esta Casa la ausencia de una per-

sonalidad insustituible. Julio Caro Baroja, etnólogo, antropólogo, folklorista, historiador, erudito, fue, entre otras cosas y quizá ante todo, un hombre de ciencia, de muchas ciencias y disciplinas cuyo dominio le permitió acercarse con rigor, desde distintos puntos de vista, a un único tema con múltiples variaciones en el que centró su insaciable curiosidad: el Hombre en su dimensión moral y social, observado no como una abstracción o un género, sino contemplado en su realidad concreta e histórica, tal como fue y aproximadamente sigue siendo.

El motivo de su trabajo, o su peculiar manera de tratarlo, sin apartar nunca los ojos de las realidades que definen nuestra íntima y misteriosa condición humana, hace que sus escritos, de inestimable valor para los investigadores en los campos que él cultivó con tanto talento como originalidad, resulten finalmente, toda ciencia trascendiendo, de apasionante interés para aquellos que, legos en las materias en las que fue un maestro, nos enfrentamos con triste desamparo a la sentencia délfica que instiga al hombre a conocerse a sí mismo.

Para cumplir esa difícil y a veces penosa tarea es preciso el esfuerzo de recordar, de rescatar del olvido lo que seres semejantes a nosotros hicieron, soñaron o creyeron. Porque yo soy, en gran medida, lo que los otros hicieron de mí: el resultado de aquellos actos, sueños y creencias.

Recoger los fragmentos olvidados —es decir, ignorados— de nosotros mismos y reponerlos en la memoria activa de nuestro ser: ése es el trabajo que Julio Caro Baroja se tomó por y para nosotros. Trabajo de historiador que él ejerció con modales de gran memorialista, dedicado a anotar minuciosamente ciertos detalles del devenir humano que los historiadores suelen pasar por alto. Sus escritos no registran las grandes gestas de los hombres excepcionales, tan ajenos por ello a nosotros, sino el humilde acontecer del ser humano más frecuente: la peripecia gozosa y dolorosa del hombre que ríe, y trabaja, y canta, y teme, y sueña mitos y funda ritos para conjurar sus temores y perpetuar sus esperanzas. Ése es el aspecto de su obra que a mí me resulta más gratificante y aleccionador.

Sometido a la imperiosa exigencia de la brevedad, sólo puedo apuntar una mínima parte de todo lo que me sugiere una persona tan rica en cualidades como fue Julio Caro Baroja.

Tuvo fama de pesimista: no le faltaron motivos para serlo. Pero quien lo lea con un poco de atención advertirá que su pensamiento está regido por una última fe en el sentido progresivo de la Historia, y que en el fondo de su sentimiento hay al menos tanta alegría y buen humor como decepción y tristeza. Su tan traído y llevado escepticismo es el resultado de su horror a cualquier manifestación de dogmatismo. Él mismo habló de su prestigio de hombre frío y poco sensible, pero cultivó una rara y muy meritoria forma de solidaridad: esforzarse por entender a los otros sin incurrir en la osadía de juzgarlos. Todo su trabajo está movido por un piadoso afán de salvación. La tolerancia fue su manera de compadecer o de sufrir con y junto a los demás las debilidades y los errores propios de la condición humana. Por sus múltiples talentos —hombre de ciencia, pintor, escritor— mereció ser llamado «vasco del Renacimiento». Su entrega al cultivo y conocimiento de las letras humanas le hace acreedor del título de humanista. Vivió con admirable independencia y dignidad un tiempo difícil, superando la dificultad añadida de que no fue un tiempo difícil para todos, como suele pensarse —para muchos resultó extraordinariamente fácil—, sino sólo para él y para quienes, como él, siguieron creyendo que la libertad no es una prerrogativa del ser humano, sino uno de sus atributos irrenunciables. De esa vivencia amarga sacó una conclusión que siempre, y especialmente ahora, es oportuno recordar: «La gente de mi edad», escribió en su hermoso libro *Los Baroja,* «no puede, no debe, olvidar. Aunque su experiencia no pueda ser transmitida, aunque los jóvenes no nos hagan caso, aunque se nos desprecie, debemos tener mientras vivamos el papel que los cristianos asignan en la Historia al pueblo de Israel. Somos, o podemos ser, los testigos».

Entre lo que la gente de mi edad —concluyo yo ahora— y de las edades que se avecinan no puede ni debe olvidar está sin duda el testimonio y la figura excepcional de Julio Caro Baroja, sabio, inexcusable memorialista del tiempo de su vida y del más dilatado tiempo de la vida del Hombre.

Mucho me he demorado, y pido disculpas por ello, para comenzar mi discurso sobre otra figura inolvidable y ejemplar.

La admiración que todavía, después de haberla frecuentado durante tantos años, profeso a la obra de Antonio Machado, fue la razón que me movió a hablar hoy de algunos aspectos de su escritura en prosa, muy importante a mi modo de ver, y menos atendida por la crítica que su poesía. En toda admiración hay un componente de sorpresa, y la sorpresa que las cosas nos producen suele desgastarse cuando prolongamos nuestro trato con ellas. No es ése, para mí, el caso de Antonio Machado, cuya relectura me revela aún —insisto: al cabo de tantos años— matices inesperados.

Y ello es así en gran parte porque, en conjunto, su poesía se configura como un cuerpo huidizo, esquivo, que se resiste a ser aprehendido en su totalidad, que desprende un halo cambiante —yo diría que también creciente— de significaciones cuyo perfil último es difícil fijar.

Es muy probable que Antonio Machado tuviese en mente esa cualidad de su propia obra cuando, por boca de Juan de Mairena, dice que en las formas literarias no ve «sino contornos más o menos momentáneos de una materia en perpetuo cambio» (701).

El motor de ese «perpetuo cambio» es, en principio, el tiempo, la corriente infinita a la que ni la poesía —«palabra esencial»— puede sustraerse; ni la poesía, ni el sentimiento, ni, por supuesto, el pensamiento: Machado parece pensar de acuerdo con lo que Abel Martín llamaba *Esquema externo de una lógica temporal,* según el cual «A no es nunca A en dos momentos sucesivos» (681).

Pero la movilidad de su pensamiento no se debe sólo a las inevitables modificaciones impuestas por el transcurso del tiempo, sino que parece obedecer a un mecanismo casi automático que proyecta su «pensar» hacia nuevas direcciones: «Nunca estoy más cerca de pensar una cosa», anota Machado en las primeras páginas del cuaderno *Los complementarios,* «que cuando he escrito la contraria» (1.118). En esta temprana observación, el poeta pecó de reticente; tal vez debería haber añadido que no sólo tendía a pensar en contra de lo que él mismo había escrito, sino también en contra de lo que habían escrito los demás. Él no dice eso, pero quien no tiene inconveniente en reconocerlo es Juan de Mairena, para el que «[pensar] algo en contra de lo que se le dice (...) es la única manera de pensar algo» (1.979). Seguramente por ese hábito de corregirse a sí mismo y a los otros admiraba Mairena a Bécquer, cuyo discurso, según él, estaba regido por «un principio de contradicción propiamente dicho: *sí, pero no; volverán, pero no volverán*» (2.094).

A diferencia del de Bécquer, el discurso de Machado no parte de un «sí» para llegar a un «no»; lo que hay de afirmativo en su pensamiento es casi siempre el resultado de una previa negación, expresa o tácita, de lo que observa en su entorno. Y esa manera de pensar *a la contra* terminará definiendo a Machado como un disidente —o lo que es igual: como un solitario— dentro del panorama cultural y literario en el que su obra se produce.

Sin embargo, la disidencia y la soledad no se explican únicamente por lo que sucede en el entorno. Hay algo inherente en Machado que lo mueve a establecer y a subrayar las diferencias con los demás: en primer lugar, su tendencia al diálogo y las formas y modos dialécticos; y luego, un temple inconformista con posos de un radicalismo atemperado, aunque no siempre, por una actitud esencialmente irónica, por un escepticismo de doble filo que llevado al extremo —mantener «una posición escéptica frente al escepticismo» (1.974)— acaba adquiriendo cualidades positivas, afirmativas: el escepticismo, dice Machado por medio, otra vez, de Juan de Mairena, «lejos de ser, como muchos creen, un afán de negarlo todo, es, por el contrario, el único medio de defender algunas cosas» (1.952).

Y en efecto, bajo el escepticismo de Antonio Machado no deja nunca de percibirse una obstinada defensa de algunas «verdades» para él irrenunciables, últimas y constantes referencias que le permiten resolver con coherencia sus propias contradicciones y deciden amplias zonas de su discurso: en el plano estético, la concepción de que la poesía es «palabra en el tiempo»; y la creencia en que la lírica descansa en dos pilares imprescindibles: el sentimiento y las ideas. En un sentido más general, desbordando lo específicamente estético, también es determinante su creciente atención a lo otro y a los otros, a la realidad (término que Machado suele sustituir por la palabra «naturaleza») y al prójimo, actitud que le lleva muy pronto a salir del ensimismamiento simbolista, y que acaba imprimiendo una especial tonalidad (social, política) a su discurso. «Hay en mis venas gotas de sangre jacobina, / pero mi verso brota de manantial sereno...», dice Machado en unos conocidísimos versos, que son un buen ejemplo de sus maneras irónicas y sus modales dialécticos. La serenidad está, en principio, reñida con el jacobinismo. Sin embargo, Machado aproxima tan distantes y contrapuestas nociones, y las hace compatibles en su persona y en la proyección de su persona: el verso.

Puede parecer —y acaso sea ésa la primera impresión del lector— que el fluir sereno del manantial del que su verso brota diluye en el poema, hasta desvanecerlas, las gotas de sangre jacobina afirmadas en primer término. Y sin embargo, esas gotas no están disueltas, sino emulsionadas, sin menoscabo de su integridad, en el caudal de serenidad que las arrastra. El jacobinismo, aun reducido a su mínima expresión —«unas gotas»— basta para precipitar la conciencia social y solidaria que imprime a la trayectoria de sus trabajos y sus días una dirección divergente y en muchos puntos opuesta a la que siguieron sus compañeros de generación.

En todos esos aspectos, el pensamiento de Machado es inequívoco, pese a que la voz que lo expone sea incierta: pues no se trata de una voz, sino del conjunto de voces que pertenecen a los varios poetas que Mairena creía que un poeta lleva dentro de sí (1.994). También Machado pensaba que «nuestro espíritu contiene elementos para la construcción de muchas personalidades, todas ellas tan ricas, coherentes y acabadas como aquella que se llama nuestro carácter» (1.355).

No se me oculta que, ante ese mosaico de voces y personalidades a cuyo cargo corre la presentación de su obra, el lector de Machado puede espigar no pocos textos que desmientan la imagen del poeta y del pensador inconformista, disidente y radical que yo estoy tratando de dibujar aquí. Es posible ver en Machado un buscador de Dios, un hombre en sueños, un cantor de Castilla, un lírico elegiaco, un poeta del pueblo y muchas cosas más. Pero Machado es, deja de ser y sigue siendo todo eso como resultado de sus múltiples disidencias. Eso es lo que, apoyándome en textos suyos y ajenos, sin mediatizarlos —en la medida de lo posible— con mis personales preferencias, me propongo hacer hoy aquí: mostrar de qué manera y hasta qué punto disiente Antonio Machado, y, sobre todo, contra qué o contra quiénes disiente.

Sólo en el comienzo de su carrera literaria se manifiesta Antonio Machado acorde con su tiempo.

A principios de siglo, sus todavía escasas prosas, empapadas de patriotismo pesimista, en las que recuerda «el reciente desastre nacional» y se duele de la pérdida de «los preciosos restos de nuestro imperio» (1.483), definen la imagen tópica de un autor noventayochista. En cuanto a la escritura en verso, *Soledades,* su primer libro de poemas, responde fielmente a la estética modernista simbolista en la que entonces militaban los más brillantes poetas jóvenes españoles (entre otros, su hermano Manuel y Juan Ramón Jiménez).

Precisamente Juan Ramón Jiménez, a quien Machado admiró incondicionalmente, acabaría siendo para él la referencia decisiva que motiva su temprano distanciamiento de la estética simbolista, de la que se alejará para iniciar un acercamiento a posiciones que, sin ánimo de ofender, calificaré de aproximadamente realistas. Todo sucede en pocos meses del año 1904. El cambio es tan súbito que parece obedecer más a una mutación que a un proceso de evolución. Veamos cómo pasa de lo uno a lo otro.

En una carta fechada en 1903, Machado saluda con juvenil entusiasmo «al autor de *Arias tristes*» como dechado de poetas: «He recibido su libro admirable», dice, «que leo y releo para empaparme de él y poder escribir algo de mi gusto» (1.458). Elogios aún más encendidos, si cabe, dedicará en 1904 al libro *Jardines lejanos,* en el que observa y admira sus aspectos específicamente simbolistas: «V. ha oído los violines que oyó Verlaine y ha traído a nuestras almas violentas, ásperas y destartaladas otra gama de sensaciones dulces y melancólicas» (1.465).

Pero en marzo del mismo año, apenas dos meses después de haber escrito esas palabras entusiastas,

Machado publica en *El País* una crítica a *Arias tristes* (1.469) en la que los reiterados elogios envuelven serias disensiones; unos comentarios, en apariencia inocuos, a tan «hermoso libro» —«Juan Ramón Jiménez no sabe lo que es tristeza...»; «Juan R. Jiménez se ha dedicado a soñar, apenas ha vivido vida activa, vida real...»— derivan en un franco reproche que hace extensivo a toda la promoción modernista, en la que el poeta en funciones de crítico todavía se incluye. Escribe Machado:

> De todos los cargos que se han hecho a la juventud soñadora, en cuyas filas aunque indigno milito, yo no recojo más que dos. Se nos ha llamado egoístas y soñolientos. Sobre esto he meditado mucho y siempre me he dicho: si tuvieran razón los que tal afirman, debiéramos confesarlo y corregirnos. Porque no puedo aceptar que el poeta sea un hombre estéril que huya de la vida para forjarse quiméricamente una vida mejor en que gozar de la contemplación de sí mismo...: ¿no seríamos capaces de soñar con los ojos abiertos en la vida activa, en la vida militante? Acaso, entonces, echáramos de menos en nuestros sueños muchas imágenes, y tal vez entonces comprendiéramos que éstas eran los fantasmas de nuestro egoísmo, quizá de nuestros remordimientos (1.470).

Palabras duras: «egoísmo», «remordimientos». ¿Qué ha pasado en el ánimo de quien sólo unos meses antes se deleitaba oyendo en los libros de Juan Ramón el eco de los violines de Verlaine?

Es muy probable que Machado se reconociera con disgusto en el personaje que acabó viendo en los versos de *Arias tristes:* una «sombra» que Juan Ramón Jiménez proyecta en un paisaje soñado, irreal, «forjado» por un poeta que ha perdido la conciencia de su identidad. «Todas las poesías de este libro», observa Machado, «son en el fondo la misma interrogación: "... esa sombra, / ¿será esa sombra mi alma?"». Ésa era, más o menos, la pregunta que, en *Soledades,* el propio Machado, o su «desolado fantasma», había dirigido a su vieja amiga la noche: «dime si sabes, vieja amada, dime / si son mías las lágrimas que vierto».

La crítica al libro de Juan Ramón Jiménez tiene mucho de autocrítica. La reacción en contra del autor de *Arias tristes* es también una reacción en contra del autor de *Soledades.* Lo dice expresamente: «Lejos de mi ánimo el señalar en los demás lo que veo en mí».

¿Habría reaccionado Machado en contra de su propia poesía si esos rasgos que le disgustan —ensimismamiento, desconexión con la vida, egoísmo— no los hubiera visto objetivados en los libros de su amigo? Posiblemente sí, aunque tal vez no tan temprano. En cualquier caso, el hecho de reconocerse en la sombra solitaria del cantor de *Arias tristes* fue el estímulo concreto que lo llevó en ese momento a salir del «siempre desierto y desolado retablo de sus sueños» y a abrir los ojos a «la vida militante, activa». En la versión definitiva, *Soledades, galerías y otros poemas* conserva, por fortuna, la mayor parte de los poemas escritos en el interior de las galerías del alma, pero en las composiciones nuevas ya está presente la realidad (a veces en formas muy prosaicas: «moscas», por ejemplo).

Y en el último poema escrito antes de dar el libro a la imprenta («Orillas del Duero»), el poeta está ya instalado en la tierra firme de los *Campos de Castilla*.

Desde ese título, la obra poética de Antonio Machado crecerá en disidencia o en oposición a la estética que había determinado sus versos iniciales, como él reconoce en una escueta anotación de 1913: «Recibí alguna influencia de los simbolistas franceses, pero ya hace tiempo que reacciono contra ella» (1.524).

A partir de 1904, su prosa desarrolla y amplía las ideas expuestas en la crítica a *Arias tristes*. «No debemos huir de la vida...»; «hay que soñar despierto...», reitera a Unamuno ese mismo año en carta que señala otro de sus puntos de fricción con el simbolismo: identificar el misterio con la belleza. «La belleza», corrige Machado, «no está en el misterio, sino en el deseo de penetrarlo». En 1916 completa, de momento, el pliego de cargos contra los simbolistas con un último reproche: creer que la intuición es suficiente para crear una obra de arte es, en su opinión, el error que los llevó a «su excesivo desdeño de las ideas». Frente a ese «extravío», Machado sostiene que el poeta debe «someter sus intuiciones a normas racionales» (1.586).

Las negaciones de Machado derivan en propuestas afirmativas. Y a medida que se amplía el campo de lo negado, su pensamiento también se ensancha, se enriquece con nuevos planteamientos positivos, originales.

Cuando, en torno a los años veinte, los experimentos vanguardistas y la ambición de pureza clausuran definitivamente la vigencia del modernismo, Machado encuentra en el arte nuevo otros motivos de disensión, que detecta puntualmente, con notable perspicacia y antelación, a medida que van tomando cuerpo en la obra de los jóvenes (y no tan jóvenes) poetas.

En 1914 no se sabía aún por dónde iba a ir la poesía española, pero Machado advierte ya, en un poema de Moreno Villa, el que para él sería el rasgo más negativo de la lírica futura: «El peligro que puede correr este joven poeta es el del conceptismo. Hay en él imágenes que responden a intuiciones vivas; pero otras son coberturas de conceptos» (1.160).

Mayor alarma debió haberle causado en 1916 observar el mismo fenómeno en el libro *Estío,* de Juan Ramón Jiménez: «Este gran poeta andaluz», escribe Machado en su cuaderno, «sigue, a mi juicio, un camino que ha de enajenarle el fervor de sus primeros seguidores. Su lírica —de J. Ramón— es cada vez más barroca, es decir, más conceptual y a la par menos intuitiva. En su último libro, *Estío,* las imágenes sobreabundan, pero son coberturas de conceptos» (1.190).

Con *Estío,* Juan Ramón Jiménez consuma su tardía deserción del modernismo —ya era hora, en 1916— y, bajo el signo de la «desnudez», emprende la escritura de la que considera su verdadera obra: todos sus libros anteriores eran sólo un ensayo: «borradores silvestres». La observación de Machado era acertada. En su segunda etapa, Juan Ramón Jiménez no apela al sentimiento, sino a la inteligencia: «Inteligencia, dame / el nombre exacto de las cosas! / Que mi palabra sea / la cosa misma...», escribe en *Eternidades* (libro de 1920). Esa actitud podía haberle gustado a Machado, en cuanto a que significaba la vuelta a una objetividad que él también perseguía; pero no. Machado desaprueba lo que él llama el «fetichismo de las cosas», síntoma del descrédito del sentimiento. Sólo porque desconfía de su «íntimo sentir», el poeta crea imágenes «que pretenden ser transubjetivas, tener valor de cosas» (1.214).

Pese a su perspicacia, Machado tardó en ver que si, al publicar *Estío,* Juan Ramón se arriesgaba a perder el fervor de sus primeros seguidores, la pérdida iba a estar compensada por el favor aún más fervoroso de una pléyade de brillantes discípulos: los integrantes del llamado «grupo poético del 27», cuyo trabajo inicial se atendría a dos modelos: la «poesía desnuda» de Jiménez, y la «poesía pura» de Valéry.

Cuando la vanguardia —ultraísmo, creacionismo— hace su ruidosa irrupción en la escena literaria española, Machado entiende al fin que el conceptismo, la sobreabundancia de imágenes y el barroquismo que había advertido en Moreno Villa y Juan Ramón Jiménez no eran fenómenos aislados y pasajeros, sino los primeros síntomas de una actitud pronto generalizada y duradera, de «una *pertinaz manera* de ver», apunta y subraya en *Los complementarios, «tan* en pugna con la mía» (1.208).

En esa breve anotación «al margen de un libro de V. Huidobro», Machado trata de buscar «nuevas razones» que justifiquen «una lírica que sólo se cura de crear imágenes». Y las nuevas razones no podían ser, en su opinión, «una creación *ex nihilo* de la razón pura, sino una superación de las viejas». Sin embargo, lo que de su análisis se deduce es que no hay tal superación de las razones viejas, sino reincidencia en los viejos desvaríos, resumidos en «la parte realmente débil de [la] obra» de Mallarmé: «La creencia supersticiosa en la virtud mágica del enigma», el empeño en enturbiar los conceptos con metáforas, que serán sólo «de buena ley cuando se emplean para suplir la falta de nombres propios y de conceptos únicos». Pero «silenciar los nombres directos de las cosas, cuando las cosas tienen nombres directos, ¡qué estupidez!».

La negación del simbolismo, que Machado matiza («Mallarmé sabía también, y ése era su fuerte, que hay hondas realidades que carecen de nombre»), se combina ahora con ataques al «barroco literario español». En el barroco, por el uso lógico de las metáforas como cobertura de conceptos, encuentra Machado la cifra y la caricatura de todos los errores de la nueva lírica.

En 1920, el simbolismo, tal y como él lo había entendido y practicado, era ya historia. Y si vuelve a señalar los que él juzga desvaríos del simbolismo (y del barroquismo), no es ya para descalificar a simbolistas y barrocos, sino para refutar otras estéticas.

Ante el rico muestrario de «ismos» y tendencias que, en los años veinte, ofrece la lírica española, el pensamiento *a la contra* de Machado apunta simultáneamente a varias direcciones: contra el ultraísmo-creacionismo («lírica al margen de toda emoción humana, ... juego mecánico de imágenes, ... arte combinatorio de conceptos hueros», 1.653); contra el surrealismo («ilogismo sistemático captado en las cerebraciones semicomatosas del sueño», 1.359); contra la poesía pura (a la que dedica una negación también pura: esa poesía, «de la que oigo hablar a críticos y poetas, podrá existir, pero yo no la conozco», 1.662); contra el barroquismo recuperado y homenajeado por los nuevos poetas en la figura de Góngora; y todavía y siempre contra ciertos aspectos del simbolismo, origen de las especies que proliferan en su entorno.

Los ataques combinados al simbolismo y a la poesía pura le obligan a equilibrar y a sopesar cuidadosamente sus argumentos que, sin las constantes correcciones a que los somete, desembocarían en insolubles aporías. Lo que critica en unos como un exceso lo señala en los otros como una carencia. Si «el simbolismo declara la guerra a lo inteligible, y pretende una expresión directa de lo inmediato psíquico» (1.360), «... horro, si posible fuera, de toda estructuración lógica» (1.362), los poetas nuevos, en cambio, «son más ricos de conceptos que de intuiciones, y con sus imágenes no aspiran a sugerir lo inefable, sino a expresar términos de procesos lógicos más o menos complicados» (1.764).

Forzado por la necesidad de denunciar como insuficiente lo que en otras ocasiones rechaza por excesivo, Machado ajusta su pensamiento al «principio de la contradicción propiamente dicho» que, según él, regía el discurso de Bécquer: «Sí, pero no»; sí a lo inteligible..., pero no; no a la intuición..., pero sí. Dicho en sus palabras: «No es la lógica lo que el poema canta, sino la vida, aunque no es la vida lo que da estructura al poema, sino la lógica» (1.653).

Pero el ideario estético de Machado pronto se va a complicar con otras preocupaciones, que darán motivo a nuevas y tal vez más graves disidencias.

En 1920, Machado responde a una encuesta dirigida a varios escritores por Cipriano Rivas Cherif sobre el tema «¿Qué es arte?». En su respuesta, elaborada al hilo —o mejor dicho, al bies— de algunas ideas expuestas por el Valle-Inclán todavía modernista, Machado se muestra más interesado en la trascendencia y la significación social del arte que en las cuestiones estéticas propiamente dichas. Expongo muy sumariamente sus ideas, porque la réplica a que van a ser sometidas derivará en una larga serie de contrarréplicas que estimulan y mueven hacia direcciones muy concretas el pensamiento original de Antonio Machado.

Sostiene Machado en ese escrito (1.612) que, «hoy como ayer», existen dos categorías de artistas: una esencialmente creadora, «que transforma en arte lo que no es arte»; y otra «que somete a una segunda elaboración los productos ya elaborados por el arte». Los integrados en esta categoría, movidos por «el aristocraticismo inutilitario, o culto supersticioso a la inutilidad», se entregan «a toda suerte de bellos simulacros», y convierten el trabajo del artista en «actividad superflua»: *sport,* juego; el arte es para ellos «una finalidad sin fin».

En contra de esa concepción del arte, Machado sostiene que «el arte es algo más [que juego]: es ante todo creación. No es juego supremo, sino trabajo supremo»; una tarea trascendente que, sin desdoro de la estética, puede tener una finalidad e incluso una utilidad a la que no vacila en atribuirle dimensión social. «¿Podrá el artista», se pregunta Machado, «desdeñar para su obra los anhelos que agitan hoy el corazón del pueblo?»; pregunta retórica que obtiene una respuesta para él obvia: «Indudablemente, no». Frente a los defensores de un arte sólo artístico, afirma Machado que «la materia con que el artista trabaja (...) no será nunca el *arte mismo;* es un deber primordial para el artista mirar, no tanto al arte realizado como a las otras ramas de la cultura, y, sobre todo, a la naturaleza y la vida».

En los años veinte, ese modo de entender el arte debió haber parecido insoportablemente obsoleto. En aquellos años, las palabras de Machado debieron haber sido recibidas ni siquiera con hostilidad: con absoluta indiferencia; tiempo de soledad para el poeta eminentemente cordial que siempre fue Antonio Machado, que deja entrever su marginación en estos versos reveladores: «Le tiembla al cantar la voz, / que no le silban sus versos; / le silba su corazón». ¿Quién, especialmente entre los jóvenes, iba a tomar en cuenta las opiniones de «ese poetón aportuguesado», como dicen que lo llamaba Juan Ramón Jiménez, de ese «español antiguo, triste, apático, romántico y pobre», como lo definió Cansinos Assens? Nadie que yo sepa, con la única y notabilísima excepción del «joven maestro» José Ortega y Gasset.

En *La deshumanización del arte,* ensayo publicado en 1925, Ortega, como Machado, aborda el tema estético desde un punto de vista sociológico, y tiene muy presentes, para negarlas una por una, las ideas que el poeta había expresado en su respuesta a Rivas Cherif. Y esa negación implica, curiosamente, la confirmación de las observaciones de Machado, que Ortega subscribe en su totalidad, o más bien *reescribe,* a veces con notable literalidad, para interpretarlas a su manera.

Repitiendo exactamente el esquema trazado por Machado, y, lo que es más significativo, repitiéndolo en sus mismos términos y apelando a las mismas referencias, también Ortega habla de la existencia de dos tendencias: un «estilo» que establece conexiones «con los dramáticos movimientos sociales y políticos o bien con las profundas corrientes filosóficas»; y otro estilo «nuevo» que «solicita ser aproximado al triunfo de los deportes y los juegos». Reiteración tan clara de las observaciones de Machado no puede ser una casual coincidencia.

Cuando Ortega señala que el «nuevo estilo» se define por la tendencia a evitar las formas vivas; a hacer que la obra de arte no sea sino obra de arte; a considerar el arte como juego y nada más; y a pensar el arte como una cosa sin trascendencia alguna, parece estar utilizando como falsilla las observaciones que, respecto al mismo fenómeno, había hecho Antonio Machado. En lo único que Ortega difiere —y la diferencia es abismal— es en la valoración de lo observado. Todo lo que Machado descalifica, Ortega lo justifica; y al revés. Veamos hasta qué punto.

Si Machado había rechazado el arte como juego por lo que tiene de «actividad superflua», Ortega lo defiende precisamente por lo que ve en él de «pueril». Machado afirmaba que la «gran nobleza del arte» consiste en no despojar la vida «de su contenido real..., de la necesidad, del dolor y de la fatiga»; Ortega atribuye «cierta dosis de grandeza» al «nuevo estilo» porque «salva al hombre de la seriedad de la vida». Machado se manifestó en contra del «aristocraticismo inutilitario»; Ortega aboga por un «arte de privilegio, de nobleza de nervios, de aristocracia instintiva». Machado creía un «deber primordial del arte mirar a la naturaleza»; Ortega afirma un tanto belicosamente que la nueva poesía es «el arma lírica [que] se revuelve contra las cosas naturales y las vulnera y asesina».

Y así sucesivamente. Sería fácil, pero demasiado largo, mostrar que apenas hay una idea en el citado artículo de Machado que Ortega no recoja e invierta. Ambos consideran el arte desde posiciones opuestas: Ortega en coincidencia con su tiempo; Machado en abierta disidencia.

Machado, que se sabía parte interesada en esa historia, en algún momento sugirió que sus notas sobre poesía lírica podrían ser una respuesta a las objeciones que algunos críticos hicieron a su obra y a su ideario estético (1.313). Ortega, en cambio, se sitúa por encima del bien y del mal, y, aun reconociendo que se acercó al tema con «un estado de espíritu lleno de previa benevolencia», pretende hacer creer que su ensayo es un diagnóstico imparcial del arte de su tiempo. «Me ha movido exclusivamente la delicia de intentar comprender, ni la ira ni el entusiasmo», reitera en la conclusión de su trabajo. Pero, aunque insista en proclamar la objetividad de su análisis, los adjetivos lo traicionan; inmediatamente después de haber declarado su neutralidad, el filósofo afirma con incontrolado entusiasmo: «La empresa que acontece es fabulosa, quiere crear de la nada»; apreciación que, dicho sea de paso, sólo puede ser interpretada como una réplica a Antonio Machado que, en el citado texto, había hecho esta categórica afirmación: «El artista no puede crear *ex nihilo* como el Dios bíblico».

Hasta aquí es Ortega el que parece actuar como antagonista de Machado. Pero los papeles pronto van a invertirse. La contrarréplica de Machado no se haría esperar. En sus «Reflexiones sobre la lírica», publicadas también en 1925, Machado cita de pasada (y muy respetuosamente) *La deshumanización del arte,* rótulo con el que tenía que estar de acuerdo, pues resume muy expresivamente su propio pensamiento. No lo estaba, sin embargo, con la significación que Ortega atribuía al arte deshumanizado, en el que veía «la victoria de los valores de juventud sobre los valores de senectud»; juicio que Machado negará de modo tajante afirmando justamente lo contrario: para él, el arte nuevo representa «lo viejo y lo caduco en un rápido proceso de desintegración (...) los estrepitosos ruidos de lo inerte» (1.654).

No es la primera vez que Machado se manifiesta en desacuerdo con Ortega. La crítica a sus *Meditaciones del Quijote* (1.560), publicada en 1915, es un texto en cierto modo intrigante, en primer lugar porque Machado, que no era un habitual reseñador de libros, no estaba obligado a escribir sobre la obra de un amigo, que, evidentemente, no le gustó. ¿Lo hizo para defender a su siempre admirado Unamuno, a quien Ortega, de pasada y sin nombrarlo, descalifica como cervantista o, mejor dicho, *por* quijotista? Puede ser.

En cualquier caso, los elogiosísimos párrafos que Machado dedica al autor de *Vida de don Quijote y Sancho* contienen una tácita réplica a Ortega: «El egregio ex rector de Salamanca», dice, entre otras cosas, Machado, «libertó a Don Quijote, no sólo de sus rencorosos y mezquinos comentaristas, sino del propio libro en que yacía encantado».

Precisamente eso es lo que proponía Ortega: meter a Don Quijote en su libro, y quitarse de en medio su triste figura para centrar la atención en Cervantes. Según Ortega, «el verdadero quijotismo es el de Cervantes, no el de Don Quijote», personaje al que sólo ve como la condensación particular de un estilo: el de Cervantes.

Ante esas apreciaciones, la reacción de Machado es inequívoca. No se trata ahora de alusiones más o menos indirectas, de réplicas más o menos veladas. Machado cita literalmente párrafos del libro de Ortega para refutarlos sin apelación. «Con dificultad encontraréis en el *Quijote* una ocurrencia original, un pensamiento que lleve la mella del alma de su autor», escribe Machado. Y añade: «La materia cervantina es el alma española, objetivada ya en la lengua de su siglo. Es en vano buscar a Cervantes, rebuscando en su léxico... Cervantes no aparece entonces por ninguna parte...».

Desde esa negación, Machado elabora su personal teoría acerca de Cervantes y el *Quijote.* Cervantes es para él, «ante todo, un gran pescador de lenguaje, de lenguaje vivo». Y su pretendido estilo, el «elemento simple de su obra, no es el vocablo, sino el refrán, el proverbio, la frase hecha, el donaire, la anécdota, el modismo, el lugar corriente, la lengua popular, en suma...».

En las apostillas al texto de Ortega está el origen de una prolongada reflexión sobre «el alma del pueblo» y la significación del folklore, que Machado devanará largamente, y que Mairena lleva a un extremo cuando afirma que «en nuestra gran literatura, casi todo lo que no es folklore es pedantería» (1.996); declaración un tanto excesiva, que el propio Machado califica de «desmesurada», aunque encuentre en ella un «profundo sentido de verdad» (2.202).

Pero volvamos a *La deshumanización del arte,* que es el motivo yo creo que en alguna medida determinante de ciertas zonas del pensamiento en disidencia de Antonio Machado. Machado ya había apuntado el desacuerdo con el ensayo de Ortega en algunos párrafos de sus «Reflexiones sobre la lírica», pero donde lo somete a una revisión más completa y sistemática es en su proyectado discurso de ingreso en la Academia Española.

En ese texto ya casi terminado, y sin duda muy meditado —tuvo años para pensarlo—, Machado recoge todo o casi todo lo que hasta entonces había escrito sobre poesía, y sugiere algunas ideas nuevas que desarrollará después. Pero, en el replanteamiento de su viejo pleito con simbolistas, barrocos, vanguardistas y poetas puros, se adivina ahora, como contendiente principal, la figura del ideólogo y a la vez (queriendo o sin querer, aunque yo creo que queriendo) paladín del «nuevo estilo». La mayor parte de lo que Machado dice en el inacabado discurso, incluso cuando reitera sus viejos argumentos, parece responder a la intención de refutar las ideas acerca de un arte sólo artístico, expuestas por Ortega en *La deshumanización del arte*. De otro modo, no se entendería bien su desdeñosa actitud hacia «las bellas letras», que, como una previa declaración de principios, exhibe un tanto provocadoramente en los prolegómenos de su disertación. «Soy poco sensible a los primores de la forma, a la pulcritud y pulidez del lenguaje, y a todo lo que en literatura no se recomienda por su contenido», declara, para empezar, Antonio Machado.

Nunca se había mostrado el poeta tan displicente con la forma ni tan decididamente contenidista. No creo pecar de suspicaz en exceso si pienso que esa declaración es una réplica al Ortega que propone contemplar el arte como quien, al ver un jardín detrás del vidrio de una ventana, concentra su atención en el vidrio y se desentiende del jardín. El empeño de Machado en relegar el arte a un segundo lugar en el orden de sus preferencias no deja de ser significativo: «Amo a la naturaleza», insiste, «y al arte sólo cuando me la representa o evoca». Machado había manifestado en otras ocasiones su interés por la naturaleza, pero el énfasis con que ahora lo reafirma parece —y, deliberado o no, de hecho lo es— un reto al Ortega que, en un incontrolado rapto de entusiasmo ante el *nuevo estilo,* proclama como «el don más sublime» el intento de «crear algo que no sea copia de lo "natural"». Para Machado, en cambio, lo natural debía ser un modelo hasta para el estilo: «La palabra escrita», dice, «me fatiga cuando no me recuerda la espontaneidad de la palabra hablada». En este momento, Machado no está invalidando únicamente el estilo defendido por Ortega, sino también el estilo del propio Ortega (del que, dicho sea de paso, llegó a tener una pobre opinión, que expresa en carta a Guiomar: «Ortega tiene mucho talento, pero es, decididamente, un pedante y un cursi», 1.690).

Establecidos los principios generales que rigen su ideario estético, Machado se dispone a exponer, a la luz de ellos, el tema de su discurso: la poesía. Y lo hace merodeando por los mismos parajes por los que había transitado el pensamiento de Ortega, y deteniéndose en los mismos puntos que habían merecido la atención del filósofo: la función de las imágenes en la lírica, el romanticismo, el simbolismo, Proust y Joyce, y, en resumen, pues sería larga la enumeración de los lugares comunes a ambos escritores, todos los rasgos característicos del arte de su tiempo que permiten hablar de una poesía deshumanizada, «para emplear», señala Machado con cortesía no exenta de afec-

tuosidad, «la certera expresión de nuestro Ortega y Gasset».

Cortesía, respeto, afecto, sí; pero no. Machado se dispone ahora a representar el papel de antagonista.

Al replantear los asuntos tratados en *La
deshumanización del arte,* Machado se manifiesta en
abierta discrepancia con las valoraciones de «el joven maestro». Si Ortega, decretando el divorcio definitivo entre vida y poesía, había dicho que «el
poeta empieza donde acaba el hombre», Machado
afirma que «toda intuición (poética) es imposible al
margen de la experiencia vital de cada hombre». El
siglo XIX, de signo marcadamente realista para Ortega —su arte, dice, «no es arte, sino extracto de la
vida»—, es para Machado un período eminentemente lírico y propicio a las formas subjetivas del
arte. Mientras Ortega considera que Proust y Joyce
ejemplifican la superación del realismo decimonónico, Machado ve a esos autores como los grandes
epígonos del siglo romántico al que, antes que superar, clausuran sin remisión; «Si la obra de Proust
es literalmente un punto final», dice Machado, «la
obra de Joyce es una vía muerta, un callejón sin salida del solipsismo lírico del mil ochocientos». Ortega, que pensaba que «la metáfora es probablemente
la potencia más fértil que el hombre posee», había
proclamado lapidaria y triunfalmente: «La poesía es
hoy el álgebra superior de las metáforas». Machado
repite la observación de Ortega y recoge su terminología matemática: el poeta actual, según él, «pretende que sus imágenes alcancen un valor algebrai-
co...»; pero en su opinión ese valor nada tiene que
ver con la lírica, se reduce a «puro juego del intelec-

to..., arte combinatorio más o menos ingenioso». Ortega apela una y otra vez a la expresión «nueva sensibilidad» para justificar las innovaciones del nuevo estilo. Machado niega validez a esa expresión y propone otra alternativa que, andando el tiempo, haría fortuna. Inequívoca es la alusión a Ortega en estas palabras: «Nueva sensibilidad es una expresión que he visto escrita muchas veces... Confieso que no sé, realmente, lo que puede significar... Nueva sentimentalidad suena peor y, sin embargo, no me parece un desatino».

De ese modo, siguiendo las pautas que marca «el joven maestro», Machado organiza su proyectado discurso académico como un desarrollo contrapuntístico disonante respecto a la línea argumental que domina en *La deshumanización del arte*. Lamento no disponer de tiempo para analizar todas las notas que configuran ese riguroso e inarmónico «punto contra punto».

Quiero, sin embargo, detenerme todavía en unos párrafos del ensayo de Ortega que debieron resultarle a Machado particularmente estimulantes para escribir lo contrario de lo que en ellos se dice. Supongo que Machado tendría poco que objetar a la división del público en las dos categorías establecidas por Ortega: los que entienden y los que no entienden. Posiblemente admitiría también, aunque quizá de mala gana, el corolario que de esa clasificación se deriva: «El arte nuevo no es para todo el mundo». Pero, dada su instintiva antipatía por las actitudes aristocratizantes, lo que Machado no podía aceptar es que el arte nuevo estuviera previamente orientado o, como Ortega enfatiza, *desde luego* «dirigido a una minoría especialmente dotada»; observación de la que se desprende que si ese arte *dirigido* «no es para todos», es porque el artista no quiere que sea para todos. El problema que el arte nuevo plantea a Machado no es tanto de resultados como de intenciones: su dificultad no parece obedecer sólo a exigencias de un estilo, sino también, de algún modo, a la pretensión de excluir a los más de los dominios del arte.

Frente a esa concepción restrictiva del arte, Machado adopta una posición abierta y generosa, que busca la integración de los que no entienden: la difusión de la cultura para «despertar las almas dormidas y acrecentar el número de los capaces de espiritualidad».

Hay ciertas dosis de didactismo en esa propuesta; no en vano Machado se había educado en la Institución Libre de Enseñanza. Pero también Ortega, que estudió con los jesuitas, atribuía al arte nuevo saludables y pedagógicos efectos secundarios. Porque, según él, las dificultades que el artista crea tienen la virtud de poner en su sitio a los que no entienden, de forzarlos a reconocer de una vez por todas su torpeza y su incapacidad: ante el arte joven —dice textualmente Ortega— «queda el hombre como humillado, con una oscura conciencia de su inferioridad». Y esa conciencia «obliga al buen burgués a sentirse tal y como es: buen burgués, ente incapaz de sacramentos artísticos, ciego y sordo a toda belleza pura».

[Qué casualidad: muy poco después afirmaría Mairena que la burguesía «no es una clase tan despreciable» (1.914). Y José Meneses, el inventor de la *Máquina de trovar,* atribuirá a «el buen burgués» *(sic)* lo que Ortega le niega: «La superstición de lo selecto» (709).]

En cuanto a la «masa» —o «pueblo»; aquí se le escapa al filósofo una identificación reveladora de ciertos entresijos ideológicos de su pensamiento que siempre trató de ocultar—, «habituada a predominar en todo», lo único que le queda ante ese «arte de privilegio» es comportarse como un cuadrúpedo: «Cocear» a «las jóvenes musas» que la ofenden «en sus derechos del hombre». [*Nota bene:* este tono agresivo, violentamente descalificador de Ortega, es una clave que permite adivinar a quién tiene Machado en mente cuando habla de la «matonería crítica» o «intelectual» de ciertos pensadores españoles, «no exenta de ingenio, gracia y toda suerte de atractivos literarios», 1.639 y 2.334.]

Ese planteamiento abiertamente clasista, que asocia a «los que no entienden» con estamentos sociales muy concretos (la burguesía, el pueblo), es objeto de la decidida repulsa de Machado, para quien «la defensa de la cultura como privilegio de clase implica [...] defensa inconsciente de lo ruinoso y muerto y, más que de valores actuales, defensa de prestigios caducados».

Es cierto que semejantes consideraciones, aunque en su proyectado discurso funcionen como una respuesta a *La deshumanización del arte,* se le habían ocurrido a Machado antes de la publicación de ese ensayo. En *Los complementarios* hay dos notas (1.201 y 1.227) contra el «aristocraticismo en la cultura, en el sentido de hacer de ésta un privilegio de casta», y a favor de una cultura para todos. En 1922, una de esas notas aparecerá casi sin variantes (1.636) en *La Voz de Soria.*

Pero el hecho es que, desde la publicación de *La deshumanización del arte,* el problema de la difusión de la cultura se convierte en uno de los temas más frecuentados por Antonio Machado, que arrecia también a partir de entonces sus ataques contra el señoritismo y el aristocraticismo, relacionándolos, yo creo que maliciosamente, con «la educación jesuítica» (2.164). Y todo eso irá a más cuando Ortega publique *La rebelión de las masas.* A partir de ese momento, el recital a dos voces discordantes que ofrecen el poeta y el filósofo cambia de tema: de la estética a la sociología para derivar inevitablemente de la sociología a la política.

En *La deshumanización del arte,* Ortega anticipa alguna de las ideas generadoras de *La rebelión de las masas,* especialmente en el pasaje que denuncia, como una «profunda e irritante» injusticia, «el falso supuesto de la igualdad real entre los hombres». Machado tardará aún en replicar a ese aserto; pero ya en el proyectado discurso de ingreso en la Academia, yo creo que motivado por los nuevos planteamientos de Ortega, se adelanta a justificar «la aspiración de las masas hacia el poder y hacia el disfrute de los bienes del espíritu».

Inicia en este punto Machado una larga reflexión dedicada a defender la legitimidad de las aspiraciones populares, en reto manifiesto a los que «avara y sórdidamente», se oponen —¿quién más que Ortega?— «a que las masas entren en el dominio de la cultura y de lo que en justicia les pertenece» (1.811).

Y sigue el disonante punto contra punto.

Contra el Ortega que afirmaba la básica desigualdad de los hombres, Juan de Mairena desempolva ante sus alumnos un viejo proverbio castellano, que él y el propio Machado repetirán insistentemente: «Nadie es más que nadie»; «por mucho que un hombre valga, nunca tendrá valor más alto que el de ser hombre» (1.932).

Y contra todo el Ortega de *La rebelión de las masas,* en lo que en términos parlamentarios se llamaría una enmienda a la totalidad, y en la jerga de los nuevos teóricos de la literatura un acto (perfecto) de «desconstrucción», Machado termina negando la premisa mayor de su tesis: la existencia de las masas. «El hombre masa no existe», dice Juan de Mairena; «las masas humanas son una invención de la burguesía, una degradación de las muchedumbres de hombres, basada en una descualificación del hombre que pretende dejarle reducido a aquello que el hombre tiene de común con los objetos del mundo físico» (2.204).

Basten esos ejemplos (podrían ponerse muchos más) para mostrar que hay una relación de causa a efecto entre lo que Ortega dice y lo que Machado piensa. O mejor dicho: una relación entre lo que Ortega dice y la manera en que Machado formaliza y modula —tonos, matices, expresiones, imágenes— lo que en cualquier caso iba a pensar. Machado ya había escrito contra la nueva lírica cuando Ortega publica *La deshumanización del arte.* Pero ese ensayo le dio nuevos motivos, argumentos e ideas para reafirmar su pensamiento de otro modo —más radical, si cabe.

Lo mismo puede decirse de *La rebelión de las masas.* Yo creo que el creciente radicalismo del pensamiento de Machado, con independencia de lo que deba —que no es poco— a sus «gotas de sangre jacobina», es, en alguna medida, una respuesta a las también cada vez más radicales actitudes elitistas de Ortega.

La divergencia de sus respectivos radicalismos obedece, en el fondo, a diferencias de temple anímico y moral, de sensibilidad, como diría Ortega, o de sentimentalidad, que diría Machado: incluso a diferencias de educación primaria. Ese conjunto de condicionamientos es lo que lleva a uno a ver con desconfianza e irritación la «indocilidad de las masas», y al otro a considerar con simpatía la posibilidad, no ya de una rebelión, sino de una revolución en su sentido más riguroso: «La revolución que es siempre desde abajo y la hace el pueblo» (2.164).

Estas palabras, escritas en Madrid en agosto de 1936, podrían atribuirse a un arrebato motivado por las circunstancias. Pero el arrebato viene de mucho más lejos, se remonta al menos a 1912, el año en que Machado se instala en Baeza, procedente de Soria. En «la tierra de Soria árida y fría» sólo podía compartirse la pobreza. En cambio, en los «campos ubérrimos de Jaén», la injusta distribución de la riqueza era un irritante escándalo. Al menos, así lo vio Antonio Machado, que en carta a Unamuno, datada en Baeza y en 1913, tras describir el desolador clima socioeconómico de la ciudad (situada «en la comarca más rica de Jaén» y «poblada por mendigos y señoritos arruinados en la ruleta»), comenta: «Cuando se vive en estos páramos espirituales no se puede escribir nada suave, porque necesita uno la indignación para no helarse también» (1.534).

Y algunas cosas nada suaves escribió por aquellos años, en prosa y en verso, el poeta.

Quiero recordar, aunque sean textos muy conocidos, el poema en que, frente a la «España inferior que ora y embiste», Machado pone su esperanza en otra «España implacable... que alborea /

con un hacha en la mano vengadora». Y los versos incendiarios dedicados a Azorín, a quien propone con carácter de urgencia las mismas violentas soluciones: «Hay que acudir, ya es hora, / con el hacha y el fuego al nuevo día». Y el poema titulado «Los olivos», en cuyo final, tras haber contemplado el panorama miserable de un pueblo andaluz en el que destaca la presencia de un convento llamado, irónicamente, «de la Misericordia», el poeta, presa de «agria melancolía», invoca a los «santos» cañones del general alemán Von Kluck para que desvelen el secreto que encierra esa «casa de Dios», esa «amurallada piedad», «erguida / sobre este burgo sórdido, sobre este basurero».

¿Cómo debe entenderse todo eso? El poeta lo explica en carta a Ortega fechada en 1914, cuando su relación epistolar con el filósofo era frecuente. En esa carta, Machado reflexiona sobre los desastres de la política española y, con mayor violencia aún que en sus versos, se muestra partidario de barrer (¡y de fusilar!) a toda una «pandilla» de políticos incompetentes e inmorales: «Obra santa» que, en su opinión, «debe encomendarse al pueblo». Y lo admite clara, casi retadoramente: «¿Que eso es hablar de revolución? ¿Y qué?» (1.555).

Machado se expresa con justeza: eso es, efectivamente, «hablar de revolución». Pero ya se sabe que del dicho al hecho hay un trecho —aunque no demasiado grande en su caso—. Pese a que a veces se manifieste como tal, Machado no puede ser definido en puridad como un revolucionario. Él fue un fervoroso republicano, partidario del diálogo inteligente y amoroso —sus modelos: Platón y Cristo—, que entendió y llegó a defender la legitimidad de la revolución cuando el diálogo no lleva a ninguna parte. Para ilustrar su actitud, a Machado se le ocurrió la parábola del cochero loco o borracho que conduce a los pasajeros al precipicio; en ese caso, la única solución es arrojar violentamente a la cuneta al insensato conductor. Y concluye Machado, a modo de moraleja: «Revolución se llama a esa fulminante jubilación de cocheros borrachos. Palabra demasiado fuerte. No tan fuerte, sin embargo, como romperse el bautismo» (1.173).

Todos los versos y prosas citados los escribió Machado en Baeza, entre 1913 y 1915, en el que podríamos llamar su período de indignación. El verso de Antonio Machado volverá a fluir por cauces de serenidad. Pero su pensamiento quedó marcado desde entonces por un sentimiento de simpatía hacia el socialismo (pese a no reconocerse como «un verdadero socialista», creía que «el socialismo es la gran esperanza humana», 2.116) y de comprensión, e incluso de aceptación, de las soluciones revolucionarias, que no rectificará cuando la revolución sea en Europa un hecho consumado y para muchos aterrador; en cambio, al poeta, en 1919, le hacía mucha «gracia» el espectáculo, «en la Hesperia triste», de ese

> *... hombrecillo que fuma*
> *y piensa, y ríe al pensar:*
> *cayeron las altas torres;*
> *en un basurero están*
> *la corona de Guillermo,*
> *la testa de Nicolás!*

Si en 1904 inicia Machado su retirada de las posiciones simbolistas, a partir de 1912, en todo lo

que publica durante los años indignados de Baeza
deja muy claro su distanciamiento de los planteamientos noventayochistas. Ya no se trata de pesimismo, de dolor de España, de vagos propósitos regene-
racionistas: la suya es una indignación que reclama
soluciones radicales. Creo que su actitud de comprensión hacia las soluciones revolucionarias es importante porque, por paradójico que pueda parecer,
fue lo que le permitió pensar y comportarse como
un liberal hasta el final de sus días. El miedo a la revolución paralizó el pensamiento liberal de los liberales más conspicuos, y llevó a muchos a renuncias y
a filiaciones en ellos impensables. A diferencia, otra
vez, de sus contemporáneos —con la excepción, quizá
única, de Valle-Inclán— Machado nunca pensó ate-
nazado por ese miedo.

Liberado del miedo, el pensamiento de Machado circula en dirección contraria —es decir, por
la izquierda— a la que siguieron sus grandes compañeros de generación, hasta cruzarse con alguno de
ellos en el camino que lo llevó desde el modernismo
y el noventayochismo hasta los aledaños del realismo y del socialismo.

Estoy pensando en José Martínez Ruiz, anar-
quista —es cierto que un tanto de guardarropía—
en su juventud, transformado pronto, dicho con
versos del propio Machado, en el «admirable Azorín, el reaccionario / por asco de la greña jacobina».
Y en el Unamuno socialista de sus primeros años
bilbaínos, convertido finalmente en el Unamuno
agonista, que clausura por inútiles o vanas sus iniciales preocupaciones. («¿Cuestión social?», dice en
su nombre don Manuel Bueno. «Deja eso; eso no nos
concierne».)

Por último, la guerra española fue la piedra de toque definitiva que permite comprobar la divergencia de la trayectoria elegida por Antonio Machado respecto a la que siguió el resto de sus viejos amigos: Ortega y Gasset, Pérez de Ayala, Azorín, Baroja, su propio hermano Manuel... En la hora terrible de la verdad (y de muchas mentiras), y entre los supervivientes del período noventayochista, él fue uno de los muy pocos que defendieron hasta el final la causa republicana: la causa de su vida, que acabó siendo también la de su muerte. En ese momento difícil, Machado se quedó verdaderamente solo. Compensación: el acercamiento de los poetas jóvenes, que hasta entonces habían recibido (o ignorado) su obra con casi absoluta indiferencia.

Sus prosas de guerra, que en conjunto son, a mi entender, el más certero y penetrante análisis escrito en aquellos años sobre la crisis de España y de Europa, también dan por rachas, tácitamente, noticia de su soledad; notas rememorando a los amigos muertos, cartas a los amigos lejanos agradeciendo o solicitando un gesto de solidaridad; y amargas reconvenciones, sin citar nombres, a quienes abandonaron o traicionaron a la República: «Alguien que fuera de España, en la brumosa Albión..., no duerme porque como Macbeth, ha asesinado un sueño, y no precisamente en su castillo de Escocia, sino en el corazón de la City» (2.483); ciertos pensadores que, «en las horas pacíficas, se venden por filósofos y ejercen una cierta matonería intelectual... y en tiempos de combate se dicen *au dessus de la mêlée*» (2.333). No es difícil, revisando la nómina de sus contemporáneos, dar con el nombre de los aludidos.

Me hubiera gustado contrastar el «Epílogo para ingleses» que Ortega añade a *La rebelión de las masas,* datado en París en abril de 1938, con los artículos que en los últimos meses de ese mismo año escribe Machado en Barcelona, «desde el mirador de la guerra». Ortega estaba a punto de ver realizada su idea: la sumisión de las masas; Machado estaba presenciando el desvanecimiento de su sueño: aquella República de trabajadores de todas clases, en la que había puesto tantas esperanzas. Pero no tengo ya tiempo para entrar en esos contrastes (muy violentos).

Ahora sólo me queda tiempo para dar una explicación que creo oportuna. No ignoro —es imposible ignorarlo— que en la inmensa bibliografía existente sobre la obra de Antonio Machado, las aportaciones de algunos miembros de esta Academia han sido muy importantes. Hablar yo de Antonio Machado ante eminentes personalidades que tantas y tan penetrantes cosas dijeron acerca de su poesía y de su pensamiento, puede, en principio, parecer un acto, ya que no petulante, al menos arriesgado. Si, tras algunas dudas, asumí ese riesgo, fue por dos razones que acaso valgan para justificar mi atrevimiento. La primera ya quedó dicha: mi admiración por el poeta, el pensador y la persona Antonio Machado.

La segunda razón es un tanto anecdótica, tal vez trivial. Dentro de unas horas —mañana, 24 de marzo, sin ir más cerca— se cumple el 70 aniversario de la elección de Antonio Machado como miembro de la Academia Española de la Lengua: un hecho y una fecha que él mismo pareció olvidar. Remediar su propio olvido, traer aquí las palabras —aunque

sea en una borrosa referencia— que fueron escritas
para ser aquí leídas, es un homenaje, si se quiere
mínimo, que yo he querido tributar a quien considero el poeta español más importante de este siglo.

Muchas gracias a los señores académicos por
la distinción; y a todos por la atención y la presencia.

APÉNDICE
(Tres poemas)

CAMPOSANTO EN COLLIURE

Aquí paz,
y después gloria.

Aquí,
a orillas de Francia,
en donde Cataluña no muere todavía
y prolonga en carteles de «Toros à Ceret»
y de «Flamenco's Show»
esa curiosa España de las ganaderías
de reses bravas y de juergas sórdidas,
reposa un español bajo una losa:
                                        paz
y después gloria.

Dramático destino,
triste suerte
morir aquí
                —paz
y después...—
                        perdido,
abandonado
y liberado a un tiempo
(ya sin tiempo)
de una patria sombría e inclemente.

Sí; después gloria.

Al final del verano,
por las proximidades
pasan trenes nocturnos, subrepticios,
rebosantes de humana mercancía:
mano de obra barata, ejército
vencido por el hambre

     —paz...—,
otra vez desbandada de españoles
cruzando la frontera, derrotados
—... sin gloria.

Se paga con la muerte
o con la vida,
pero se paga siempre una derrota.

¿Qué precio es el peor?

      Me lo pregunto
y no sé qué pensar
ante esta tumba,
ante esta paz

    —«Casino
de Canet: spanish gipsy dancers»,
rumor de trenes, hojas...—,
ante la gloria ésta
—... de reseco laurel—
que yace aquí, abatida
bajo el ciprés erguido,
igual que una bandera al pie de un mástil.

Quisiera,
a veces,
que borrase el tiempo
los nombres y los hechos de esta historia
como borrará un día mis palabras
que la repiten siempre tercas, roncas.

LECCIÓN DE LITERATURA

(A Antonio Machado)

La España de charanga y pandereta,
devota de Frascuelo y de María,
ha de tener su mármol y su día.

A. M.

Los olmos sobreviven.
Las colinas
continúan dorándose
cuando el trigo madura, en primavera.
Los vencejos
regresan cada año, y las cigüeñas
reconquistan sus nidos
en febrero y en torres eclesiásticas
o álamos ribereños.
La tierra
se obstina en ser hermosa:
fina, adusta, guerrera.
Pese a tu muerte
—y a la de otros muchos—
también los hombres son como eran antes.
Devociones no idénticas
—Frascuelo es sólo un nombre—,
pero muy parecidas,
están vigentes hoy igual que antaño:

Di Stéfano y la Misma
acaparan plegarias y ovaciones.
Todo ocurrió tal como nos dijiste:
del vano vientre del ayer surgieron
estos días vacíos

y, orando y embistiendo,
calvas y calaveras venerables
nos predican traición y tradiciones.
Tú sigues siendo don Antonio, siempre,
poeta vivo entre nosotros —muertos—
y te leemos cada día porque
nunca nos engañaste
y desenmarañaste el negro ovillo
de nuestra amarga historia
con dedos claros, delicados, duros.
Predijiste los tiempos que cruzamos
y los que cualquier día alcanzaremos.
La España de la rabia y de la idea
avanza, pese a todo. Te escuchamos:
Mas otra España nace...

Y te creemos.

RECUERDO Y HOMENAJE EN UN ANIVERSARIO

La brisa del mar próximo
abrió un espacio de luz en el invierno.

Regresaban a ti,
en la hora más triste,
como el milagro de otra primavera
que nunca llegaría,
esos días azules y ese sol de la infancia.

Qué habrán iluminado en tu hondo sentimiento,
qué imágenes de patios olorosos a azahar,
qué perfume a jazmín traerían a tu ensueño
entre un rumor de fuentes
esos días azules...

¿Ensueño todavía, o tan sólo memoria?

No; allá en el fondo de la mar no sueñan
los frutos de oro:
sólo estéril arena, piedras negras,
anémonas amargas, sin aroma.

(*Mañana es nunca ya,* tal vez pensabas)

Y sin embargo,
piadosa luz,
y muerte más piadosa que la vida,

que detuvo en los lienzos del recuerdo
contigo hacia la sombra,
tan lejanos y claros,
tan imposibles ya,
pero contigo, en ti al fin para siempre

—mañana es nunca, nunca, nunca—

esos días azules y ese sol de la infancia.

Este libro
se terminó de imprimir
en los Talleres Gráficos
de Rógar, S. A.
Navalcarnero, Madrid (España)
en el mes de enero de 1999